LOS COMUNEROS

LOS COMUNEROS

JOSEPH PÉREZ

la esfera ⊕ de los libros

Primera edición: octubre de 2006

Tercera edición: febrero 2017

© Joseph Pérez, 2001

© La Esfera de los Libros, S.L., 2006

Avenida de Alfonso XIII, 1, bajos.

28002 Madrid

Teléf: 91 296 02 00-Fax: 91 296 02 06

Pág. Web: www.esferalibros.com

Diseño de cubierta: Opal Works

Ilustración de cubierta: Antonio Gisbert, *Los comuneros de Castilla en el patíbulo*, Congreso de los Diputados, Madrid (ORONOZ)

ISBN: 84-9734-568-1

Depósito legal: M. 38.473-2006

Impresión: Huertas

Encuadernación: Huertas

Impreso en España

ÍNDICE

Nota preliminar

Pocos acontecimientos históricos han tenido tanta resonancia en España como la Guerra de las Comunidades. Este episodio forma parte de los mitos colectivos del pueblo español y ha sido objeto de una bibliografía abrumadora, de calidad desigual, así como de interpretaciones opuestas.

Este libro pretende ofrecer una presentación y una interpretación de aquella guerra civil que sacudió Castilla en los primeros años del reinado de Carlos V; intenta aclarar las cosas y ponerlas en sus justos términos en cuanto lo permite la documentación histórica, pero sin abrumar al lector con un aparato crítico excesivo. No se trata de una simple reedición abreviada del libro que publiqué en 1970. Mi tesis sigue siendo fundamentalmente la misma, pero he tenido en cuenta las aportaciones más recientes para matizar —y en ocasiones revisar— lo que escribí hace veinte años.

El lector que desee profundizar en algún aspecto concreto encontrará en la bibliografía citada al final del libro las referencias necesarias para su información.

I. CASTILLA EN 1520

El reinado de Carlos V se inicia en España por una crisis muy grave, una guerra civil, una revolución, las Comunidades. Es la culminación de una serie de dificultades de tipo económico, social y político, con las cuales se enfrenta Castilla después de la muerte de la reina Isabel y que amenazan con destruir parte del ordenamiento realizado desde 1474.

LA HERENCIA DE LOS REYES CATÓLICOS

La unión de Fernando de Aragón y de Isabel de Castilla no tuvo como consecuencia la unidad nacional de España, como se ha dicho a veces de modo muy precipitado. Se trata en realidad de una unión personal entre dos soberanos, pero por la que cada grupo de territorios conserva su autonomía, su administración, sus leyes. Por tanto, conviene tener en cuenta la siguiente división:

—Los territorios de la Corona de Castilla (Castilla en su sentido estricto, Extremadura, Andalucía, Murcia, provincias vascongadas, Galicia, Navarra, Indias).

—Los territorios de la Corona de Aragón (Aragón, Cataluña, Valencia, Islas Baleares, Nápoles).

Doble monarquía, unión personal; sólo la diplomacia y los asuntos militares pertenecen al sector común; la Inquisición es la única institución autorizada para actuar en las dos coronas. En todo lo demás cada grupo de territorios conserva su originalidad.

Los dos Estados, ¿pueden considerarse como iguales? En absoluto. Castilla ocupa en la doble monarquía una posición dominante por tres motivos:

La unión de Isabel y Fernando como símbolo de la doble monarquía. Anónimo, La Virgen de los Reyes Católicos, *Museo del Prado, Madrid.*

1. Es más extensa que Aragón desde el punto de vista territorial.

2. Es también más poblada, no sólo porque la demografía de Castilla es el reflejo de esta superioridad territorial, sino porque las densidades son más fuertes en Castilla que en Aragón: 4.500.000 habitantes en Castilla a finales del siglo XV, mientras Aragón no tiene más que 1.000.000 aproximadamente; o sea que Castilla, tres veces más extensa que Aragón, tiene cuatro veces más habitantes. Castilla, en fin, es más rica: la desproporción demográfica no es sino un elemento de una situación general netamente favorable a Castilla que, desde la segunda mitad del siglo XV, es una nación en plena pujanza.

3. La ganadería trashumante, muy bien organizada por la Mesta, da una abundante lana de excelente calidad que forma el elemento esencial de sus exportaciones. En torno al mercado de la lana, una verdadera red comercial existe a partir de tres centros: las ferias de Medina del Campo, el Consulado de Burgos, los armadores de Bilbao. Los dueños de aquel mercado son los grandes mercaderes de Burgos que disponen de posiciones muy fuertes en España y en la Europa del norte.

Aragón, en cambio, parece mucho menos favorecido. El puerto de Barcelona atraviesa un momento de crisis, consecuencia del *declive catalán* que se manifiesta desde principios del siglo XV, más sensible a partir de 1450, y que se va a prolongar hasta el siglo XVII. Durante todo el siglo XVI, en cambio, Castilla conoce una expansión continua.

Estas bases constituyen los fundamentos de la doble monarquía de los Reyes Católicos: una nación expansiva se une con una nación en declive. En estas condiciones es natural que el centro de gravedad del nuevo conjunto territorial se sitúe en

Castilla. A principios del siglo XVI los catalanes quedan excluidos del comercio con las Indias, pero en este caso concreto el derecho no hace más que consagrar una situación de hecho; se limita a expresar las relaciones reales. En derecho como en el hecho, ya desde la segunda mitad del siglo XV, Castilla está en la vanguardia, razón que explica algunas características de la España del siglo XVI, particularmente la preponderancia de los valores castellanos. La España nueva es sobre todo Castilla; sus tradiciones, sus instituciones y su mentalidad son las que inspiran la mayoría de las veces la política de España. Asimismo, a pesar de contadas excepciones, son hombres de Estado castellanos los que van a dirigir esta política. Por fin, la lengua castellana acabará siendo el español, la lengua de los escritores del Siglo de Oro.

La economía

Todos los historiadores están de acuerdo en admitir el desarrollo de la economía castellana a partir de la segunda mitad del siglo XV y, muy especialmente, durante el reinado de los Reyes Católicos, que supieron aprovechar una coyuntura particularmente favorable. El hecho más sobresaliente fue el crecimiento del centro en contraste con la periferia, crecimiento que comenzó en el siglo XV y que se prolongó aproximadamente hasta el último tercio de la centuria siguiente. Esto da a la revolución comunera de 1520 una dimensión y un interés muy particulares.

¿Hasta qué punto esta revolución, esencialmente urbana, manifiesta una vitalidad y un dinamismo propios de los centros con mayor densidad demográfica y pujanza económica? Las divergencias y las divisiones en el seno del movimiento comunero a las pocas semanas de estallar obligan a plantearse el problema: estas divergencias se explican por oposiciones fundamentales de orden económico. Concretamente: la protección dada a la Mesta por los Reyes y la política de exportación de lanas no eran compatibles con el deseado desarrollo de la industria textil y originaron conflictos de intereses entre exportadores e industriales.

La población de Castilla a finales del siglo XV era aproximadamente de 4.500.000 habitantes. En 1541 llega a tener unos 5.600.000 habitantes como mínimo, tal vez más. Pierre Vilar sugiere 6.300.000. Lo que cabe señalar es el crecimiento demográfico, que no parará hasta finales de la centuria, con las grandes epidemias de 1596. Para entrar un poco más en detalle, conviene tener en cuenta los siguientes aspectos:

—Un movimiento migratorio de norte a sur, desde las tierras pobres del norte hacia la Meseta central y Andalucía.

—Un movimiento hacia las ciudades. La gente sale del campo, demasiado poblado, hacia las ciudades. Es en torno a Valladolid, Palencia y Segovia donde las densidades y el número de habitantes son los más elevados. Ahora bien, allí es donde se sitúa en 1520 el foco de la revuelta de los comuneros, en aquellos centros urbanos relativamente importantes para la época: 4.000 habitantes en Madrid; 11.000 en Medina de Rioseco; 13.000 en Salamanca; 15.000 en Segovia; 20.000 en Medina del Campo; 32.000 en Toledo; 38.000 en Valladolid...

No se trata sólo de crecimiento demográfico; toda la economía castellana se encuentra en plena expansión a finales del siglo XV y principios del XVI, pero está orientada preferentemente hacia la exportación. La vida económica se concentra en tres polos principales:

—Burgos, situada cerca de los puertos vascos y cántabros (sobre todo Bilbao), debe su fortuna al establecimiento de relaciones comerciales con Flandes y la Europa del norte.

—El centro de Castilla, en torno a Valladolid, ciudad de funcionarios (letrados). Es la zona más poblada, más dinámica, con lugares como Medina del Campo, la ciudad de las ferias; Palencia, en medio de la fértil Tierra de Campos; Salamanca, Segovia y, al sur del Guadarrama, Toledo.

—Sevilla, cuya comarca produce en abundancia trigo, vino y aceite, está situada desde el siglo XV en el centro de las corrientes comerciales que unen a Italia con la Europa del norte. Los italianos desarrollan allí gran actividad. El descubrimiento de América y la creación de la Casa de la Contratación aumentan la prosperidad sevillana a principios del siglo XVI, y contribuyen a transformar aquella zona en un polo muy activo.

Durante el reinado de los Reyes Católicos las dos fachadas marítimas, la cantábrica y la andaluza, colaboran en iguales proporciones con el centro de Castilla. Pero en el siglo XVI la situación empieza a cambiar: el centro de gravedad del país se desplaza lentamente de norte a sur, el eje Medina del Campo-Burgos-Bilbao retrocede ante el eje Burgos-Medina del Campo-Sevilla. A principios del siglo XVI comienza esta captación de Castilla la Vieja hacia el sur: Sevilla cobra cada día más importancia desde que se ha convertido en el centro del comercio americano. Burgos sigue manteniendo con Flandes fructíferas relaciones; pero el centro de Castilla ve romperse poco a poco el equilibrio logrado en tiempos de los Reyes Católicos. Esto constituye ya una indicación que permite situar mejor la revuelta de las Comunidades, movimiento que sacude el centro, pero que deja —relativamente— indiferente a la periferia del reino.

La existencia de una materia prima abundante y de excelente calidad en las mesetas castellanas hubiera debido de favorecer el desarrollo de una importante industria textil, pero los esfuerzos realizados en este sentido no fueron lo bastante continuados como para superar todas las dificultades existentes. Desde el siglo XV ya se trabajaba la lana en numerosos lugares de Castilla, incluso en pequeños pueblos o aldeas. En los primeros años del siglo XVI sobresalen centros como Segovia, Toledo, Córdoba y Cuenca, donde se produce el mayor número de artículos y a los precios más elevados. Según un documento de 1515, la industria textil empleaba en la zona de Segovia a más de 20.000 personas que procesaban más de 40.000 arrobas de lana por año. Hubieran podido procesar más, pero, como señala el mismo documento, «no se pueden haber más». Otro documento posterior de 1524 revela que treinta o cuarenta capitalistas dominaban la industria textil segoviana y empleaban a las dos terceras partes de la población trabajadora de la ciudad.

En otras zonas, a pesar de los esfuerzos desplegados por el Estado —Ordenanzas de Sevilla, 1511—, la producción es de calidad inferior: procura satisfacer la demanda de una clientela local, poco exigente, y fabrica géneros bastante groseros. Esto se debe a que la industria textil castellana, con algunas contadas excepciones, adolece de un grave defecto: con demasiada frecuencia produce artículos de calidad inferior que satisfacen a la gente del pueblo, pero mucho menos a una clientela acomodada más exigente. El textil castellano no logra luchar con eficacia contra la competencia extranjera que ofrece productos más elaborados y más baratos. ¿A qué se deben estas dificultades? En gran parte al hecho de que las lanas de mejor calidad van destinadas a la exportación.

En efecto, una organización compleja rodea el mercado de la lana. Importantes intereses se hallan en juego en torno a este producto que desde hace mucho tiempo constituye la riqueza principal del país. Los mercaderes tratan de comprar la lana con adelanto, antes del esquileo, y aprovechan las dificultades estacionales de los pequeños ganaderos que necesitan dinero en aquel momento para efectuar los pagos de los impuestos sobre el ganado trashumante y el alquiler de las dehesas. Los mercaderes de Burgos, que actúan en ocasiones en nombre de extranjeros, y los genoveses se han convertido en maestros en este tipo de operaciones. De esta forma los grandes negociantes se aseguran un cuasimonopolio sobre las compras de lanas en general y en especial sobre las calidades más cotizadas. La mayor parte de la producción lanera de Castilla se destina así a la exportación hacia Italia o hacia Flandes. Los lazos dinásticos entre Castilla y Flandes vienen a reforzar una corriente ya antigua de intercambios comerciales en los que los comerciantes de Burgos, agrupados en el Consulado, desempeñan un papel fundamental. Ellos son los verdaderos amos de la ruta del norte.

¿Qué lugar pueden ocupar los manufactureros castellanos en un mercado tan decididamente organizado con miras a la exportación? En 1462 se había prohibido que las exportaciones de lana superaran las dos terceras partes de la producción; el resto se reservaba, en principio, para la industria nacional. El cupo siguió siendo el mismo durante un siglo, e incluso, muchas veces, no se respetó, ya que varios intereses se conjugaban en favor de la exportación de lana: los nobles, propietarios de grandes rebaños y de pastos, los comerciantes y la Corona —a causa de los impuestos que cobraba sobre el ganado trashumante y de los pastos de los maestrazgos— formaban una coalición muy poderosa frente a la cual poco podían hacer los pañeros del reino, aislados y minoritarios. La Mesta, además, se convierte en portavoz de todos aquellos que se benefician del comercio de la lana. Es precisamente en la década de 1520 cuando esta institución alcanza el cenit de su poder.

A comienzos del siglo XVI, pues, la relación de fuerzas no parece ser favorable al desarrollo de la industria textil que, por tanto, experimenta cierto estancamiento. La falta de capitales y de obreros cualificados, así como la negativa a establecer medidas proteccionistas condenaron a esta industria, ya desde el reinado de los Reyes Católicos, a producir en cantidad insuficiente productos de escasa calidad, incapaces de competir con los elaborados en el extranjero.

La sociedad

El reinado de los Reyes Católicos no aportó ningún cambio sustancial a la organización de la sociedad. Ésta continuó dividida en estamentos estrictamente jerarquizados, aunque es cierto que éstos sufrieron transformaciones en su composición, que modificaron sus relaciones entre sí y su influencia en el conjunto de la nación.

Los cambios fueron más espectaculares y más duraderos con respecto al clero. Desde el principio de su reinado los Reyes Católicos exigieron del Papa un derecho de supervisión sobre el nombramiento de los obispos. Después de no pocas gestiones y disputas consiguieron lo que solicitaban. Se esforzaron por excluir a los extranjeros de los beneficios eclesiásticos, y a menudo rechazaron los candidatos de la alta nobleza. Desde entonces los obispos vinieron siendo en la mayoría de los casos letrados, elegidos preferentemente entre los antiguos alumnos de los colegios mayores.

En relación con la nobleza no parece que los Reyes Católicos pusieran en práctica una política muy coherente. En 1480 la obligaron a restituir parte de las rentas que había usurpado sobre todo desde 1466; estas decisiones afectaron seriamente a la nobleza, pero no le hicieron perder, ni mucho menos, su situación de clase preponderante. Esta clase conservó después de 1480 un potencial social y económico considerable. Las Leyes de Toro (1505) sobre los mayorazgos acabaron de consolidar esta riqueza territorial al favorecer la concentración de propiedades y la formación de feudos que no se podían enajenar. En cambio, la nobleza perdió parte de su influencia política. El hecho decisivo en este sentido fue la reorganización del Consejo Real llevada a cabo en 1480, que se concretó por una fuerte disminución de los miembros pertenecientes a la aristocracia. Los Reyes Católicos favorecieron más a los rangos inferiores de la nobleza, los caballeros e hidalgos, que ya ocupaban puestos importantes en los concejos como regidores y constituyeron desde entonces, junto con los letrados egresados de las universidades, los cuadros del Estado.

Asimismo, conviene señalar durante el reinado de los Reyes Católicos la ascensión de una clase media que intentaba fundirse con la nobleza y muchas veces lo conseguía, pero que en ocasiones estaba a punto de constituirse en una auténtica burguesía. Por lo general, la dirección de las ciudades no estaba a cargo de burgueses. Desde hacía mucho tiempo el patriciado urbano estaba reservado a la pequeña nobleza de los caballeros. El desarrollo económico permitió la ascensión social de quienes habían sido sus impulsores o sus beneficiarios, los mercaderes. Los letrados no eran auténticos burgueses, gente de origen modesto que acudía a las universidades para conseguir un título de licenciado o de doctor.

La vida política

Desde el punto de vista político, los Reyes Católicos se han preocupado, desde el principio, por restablecer en todos los sectores la autoridad del Estado, por situar el poder real por encima de todos los grupos de presión. A este objetivo responden la reorganización del Consejo Real, la generalización de los corregidores y la decadencia de las Cortes.

Desde 1480 el Consejo Real se ha convertido en el órgano supremo de gobierno, presidido por un obispo y formado por tres nobles y unos diez letrados. Al margen del Consejo, los secretarios reales, asimismo letrados, colaboradores directos de los soberanos, están muy al tanto de todos los problemas políticos.

Los municipios habían ocupado en la Edad Media un lugar destacado, en gran parte porque ejercían su jurisdicción en un territorio muy amplio —su alfoz—; es el caso, por ejemplo, de Segovia. Ricos y potentes, habían sido varias veces árbitros de los conflictos entre alta nobleza y poder real. Los Reyes Católicos transforman a los municipios en colaboradores dóciles, primero generalizando la costumbre de reservar los oficios municipales a un grupo restringido de privilegiados —regidores o veinticuatros—, casi todos ellos caballeros; segundo, nombrando en las ciudades más importantes funcionarios reales con poderes muy extensos, los *corregidores*, reclutados entre caballeros o letrados.

Las Cortes, por fin, son en principio la representación del reino y como tales autorizan los impuestos directos —servicios—. Hubieran podido aprovechar aquella circunstancia para intervenir en la vida política y tratar de controlar el poder real. Los Reyes Católicos se precaven contra esta posibilidad:

Retrato de la reina Isabel la Católica, según una plumilla del siglo XIX.

—Tener voz y voto en Cortes no constituye ningún derecho; es un privilegio reservado sólo a 18 ciudades: Burgos, Soria, Segovia, Ávila, Valladolid, León, Salamanca, Zamora, Toro, Toledo, Cuenca, Guadalajara, Madrid, Sevilla, Granada, Córdoba, Jaén y Murcia.

—Los procuradores a Cortes son elegidos por un colegio electoral muy restringido, los regidores, presidido por el corregidor. El poder real tiene así la posibilidad de presionar sobre los procuradores y no duda en hacerlo.

—Los soberanos, por fin, convocan las Cortes lo menos posible, cuando necesitan de modo preciso recursos fiscales directos; se las arreglan para obtener de los impuestos indirectos —las alcabalas— los recursos necesarios al Estado.

Los Reyes Católicos afirmaron indudablemente el poder y la autoridad del Estado en todos los terrenos. Si durante tanto tiempo su labor ha sido aprobada y elogiada se debe a que este Estado era la expresión política de un equilibrio económico y social. La nobleza había sido apartada del poder, pero su potencial territorial y su prestigio permanecían intactos. En cuanto a la burguesía se vio también excluida de las responsabilidades políticas en las ciudades y en las Cortes, pero nada impedía sus fructíferas relaciones comerciales con el extranjero, establecidas desde hacía mucho tiempo. Los negociantes, la aristocracia y la corona participaban de los beneficios de la exportación de la lana. La Mesta, portavoz de estos intereses, asociaba estos beneficios a los pequeños ganaderos. Los caballeros y los letrados formaban los cuadros del Estado. La exaltación religiosa y la noción de hidalguía parecían aglutinar a la gran mayoría de la nación junto con las grandes empresas de política exterior, el fin de la Reconquista, la política de Italia y la aventura de las Indias.

Ésta es la amplia base social sobre la que se levantaba el Estado de los Reyes Católicos. No puede negarse, sin embargo, la existencia de ciertos defectos en el sistema: la nobleza no estaba definitivamente resignada a su aislamiento político; un fuerte antagonismo oponía, en el seno de la burguesía, a exportadores e industriales; las ciudades adolecían de una administración municipal muy poco representativa; las Cortes, carentes también de contenido representativo, estaban reducidas a un papel meramente figurativo no definitivo; los campesinos formaban una masa silenciosa de víctimas sufrientes... La crisis que se declaró a la muerte de la reina iba a poner en evidencia la fragilidad y los defectos de esta construcción.

Así se puede resumir el legado de los Reyes Católicos a sus sucesores, legado que ha permitido darle a la Corona una fuerza considerable; a ello hay que añadir el prestigio personal de los Reyes que acaba consolidando aquella fuerza que parece indiscutida. Todo ello va a cuestionarse seriamente entre 1500 y 1520.

LA CRISIS

El movimiento comunero se sitúa dentro de una doble coyuntura: la económica y la política.

Los primeros años del siglo XVI, sobre todo 1504-1506, son terribles en Castilla, porque coinciden con una serie de malas cosechas, hambre, epidemias, mortandad, y porque la presión fiscal contribuye a agravar la situación.

Hay una carta de Gonzalo de Ayora, futuro comunero, al secretario Miguel Pérez de Almazán, fechada en Palencia el 16 de julio de 1507, en la que se leen frases premonitorias: la gente menuda ya no puede contribuir en todas las exacciones fiscales exigidas; el pueblo muestra inmenso descontento contra el rey Fernando; hora es ya de tomar las medidas apropiadas para salir del paso «y no se dé a diez lo que pertenece a ciento»; de no proceder así, las cosas pueden llegar al derramamiento de sangre. Ya en 1507 Gonzalo de Ayora contempla la posibilidad de una revuelta armada. A pesar de la tasa del trigo que decide la Corona, los precios se incrementan en exceso. Después de estos años trágicos asistimos a una caída de los precios entre 1510 y 1515, tanto más espectacular cuanto que es la única de toda la centuria, depresión seguida de inmediato por una subida impresionante de los mismos, que alcanza su punto máximo en 1521. Estas dificultades económicas afectan a toda España, pero en Castilla adquieren un carácter dramático, porque afectan el equilibrio al que se había llegado entre fuerzas sociales e intereses antagónicos.

Ante la crisis las regiones tienen reacciones distintas en la medida en que unas se consideran más amenazadas que otras. Hemos distinguido en Castilla tres regiones económicas: dos periféricas (Burgos y Andalucía) y una central en torno a Valladolid y Toledo. Las tres sufren las consecuencias de la crisis, pero las dos periféricas en menor medida, porque allí el comercio internacional constituye la fuente principal de riqueza. En el centro, en cambio, la situación es mucho más grave: las variaciones en los precios obligan a reducir el consumo y, por tanto, dificultan la actividad de los pequeños talleres y la artesanía. Se notan protestas, enfrentamientos, conflictos entre los grandes negociantes de Burgos y los genoveses, por una parte, y las pequeñas burguesías del interior, por otra.

El monopolio de hecho que ejercían los burgaleses y un núcleo de comerciantes extranjeros en la exportación de la lana levanta oleadas de protesta de los comerciantes del interior a partir de 1504. Éstos consideran que se encuentran en una doble situación de inferioridad. En primer lugar, porque tienen que contentarse con las lanas que les dejan los burgaleses, más poderosos y mucho mejor organizados, y, además, a causa de la enorme distancia que les separa de los puertos marítimos de embarque de la mercancía, distancia que les impide participar de las ganancias del gran comercio internacional. Textos de los años 1512 y 1513 no dejan lugar a duda sobre la significación del conflicto. Tanto en Segovia como en Cuenca, por ejemplo, los comerciantes habían tomado conciencia de los intereses subyacentes en la política de exportación de lanas. La organización del mercado era excesivamente favorable a los burgaleses y genoveses.

En el mismo momento los artesanos y pequeños industriales del interior se quejan de las dificultades del textil; encuentran muchas trabas cuando desean abastecerse de lana de buena calidad, porque tienen que enfrentarse con la competencia extranjera y, en ambos casos, ellos también chocan con los burgaleses que exportan lana hacia Flandes e importan los tejidos que se han fabricado allí con aquella misma lana. Así pues, los industriales exigen que se cumplan estrictamente las disposiciones de la ley de 1462 sobre las exportaciones de lana. Un edicto de 1514 responde a esta reivindicación. Pero entonces son los exportadores, apoyados por los ganaderos y por la Mesta, los que reaccionan: aplicar la ley de 1462 sería arruinar la ganadería y la economía del país.

Tanto sobre el problema de la competencia extranjera como respecto al volumen de las exportaciones de lana, los productores castellanos obtienen netas ventajas durante el período de regencia del rey de Aragón (1507-1516). Entonces se produce un claro viraje de la política económica tradicional, basada en la exportación de materias primas y en la importación de productos manufacturados.

Cisneros, gobernador del reino en 1516-1517, pretendió mantenerse fiel a esta nueva orientación. Hacia él se dirigen, en 1516, algunos observadores lúcidos que, cuarenta años antes del famoso *Memorial* de Luis Ortiz, analizan el subdesarrollo económico de Castilla y sugieren los medios adecuados para superarlo. Dos memoriales, en efecto, cuyos autores son Pedro de Burgos y Rodrigo de Luján, llaman la atención sobre las perspectivas de Castilla cuando haya roto definitivamente con una política nefasta y contraria a los verdaderos intereses del país. Ambos exponen ideas similares que van mucho más allá de las recriminaciones habituales sobre el alza de los precios y la manera de evitarla.

Pedro de Burgos ataca a los comerciantes que compran grandes cantidades de lana antes del esquileo y que luego fijan los precios a su antojo. Pide que se prohíba absolutamente la exportación de lana de mejor calidad, la de Cuenca. Expone una enérgica crítica de la situación de subdesarrollo en que se halla Castilla al vender sus materias primas para importar productos manufacturados, abandonando a los extranjeros todos los beneficios del proceso de transformación de la lana.

Luján parte de una cuestión que le parece mal planteada: las medidas apropiadas para evitar la salida de dinero del reino. Para él el desarrollo económico es la única solución adecuada del problema. Muchas importaciones le parecen inútiles y el reino podría muy bien prescindir de ellas: sederías, brocados, paños ingleses o franceses, tapices, la pacotilla que venden los buhoneros, libros, especias, etc. La prohibición de tales importaciones impulsaría a los fabricantes a instalarse en España a la vez que serviría de estimulante para la industria nacional. España podría convertirse entonces en una de las primeras potencias mundiales.

Estos dos memoriales contienen los puntos esenciales de la doctrina mercantilista: incremento de las exportaciones que pueden resultar beneficiosas (productos manufacturados, artículos de lujo) y prohibición de la exportación de materias primas y de la importación de artículos de lujo o de productos que pueden fabricarse en el país.

En el terreno de la economía nacional entre 1504 y 1517 varían pues los presupuestos que hasta entonces la habían sustentado. Los comerciantes de las ciudades del interior se enfrentan al monopolio del Consulado de Burgos y de los extranjeros, y los productores —instalados también en el interior— desafían a los exportadores. Estamos frente a un levantamiento de las burguesías de la zona central de Castilla contra las regiones periféricas más favorecidas. Es preciso situar la revolución comunera, cuyo núcleo de partida se encuentra en torno a Valladolid y Toledo, dentro de este movimiento de protesta del centro castellano.

Los grupos sociales y económicos enfrentados (mercaderes del interior contra burguesías periféricas, manufactureros contra exportadores) se vuelven hacia el Estado para que sirva de árbitro, pero en aquel momento el Estado también pasa por una crisis muy grave que tiene otras causas. Es la coyuntura política abierta por la muerte de la reina Isabel en 1504. Se inaugura entonces una serie de gobiernos transitorios y regencias: reinado de Felipe el Hermoso, primera regencia de Cisneros, regencia de Fernando el Católico, segunda regencia de Cisneros, gobierno de Carlos, que, al cabo de dos años y medio, se embarca para Alemania para recoger la corona impe-

El rey Fernando el Católico, según una plumilla del siglo XIX.

rial. Son casi veinte años de crisis política; falta la continuidad; no existe una dirección firme en el Estado. Esto da motivo al resurgir de ambiciones de toda clase, muy marcadas en el seno de la nobleza, que procura recobrar posiciones perdidas. Entonces aparecen con toda claridad los fallos de la Administración, muchas veces incapaz de hacer frente a la situación porque falta en la cumbre del Estado una autoridad fuerte y respetada.

Se trata, ante todo, de una crisis de régimen, una crisis dinástica abierta por la muerte de la reina Isabel. Conforme al derecho constitucional vigente, no existe ningún problema: con la muerte de Isabel, el rey don Fernando vuelve a ser simple rey de Aragón; la Corona de Castilla recae en la hija mayor de los Reyes, doña Juana, «reina y propietaria de estos reinos», esposa del borgoñón Felipe el Hermoso. Ahora bien, doña Juana, sin ser totalmente loca, no se encuentra en condiciones de ejercer el poder personalmente; tendrá el título de reina de Castilla, pero ¿a quién le va a tocar gobernar efectivamente en su nombre, a su marido, Felipe el Hermoso, o a su padre, Fernando el Católico? La aristocracia castellana prefiere a Felipe, porque espera recobrar así parte de la influencia política que ha perdido desde el advenimiento de los Reyes Católicos. Se pronuncia pues contra Fernando, lo obliga a dejar el país y a marcharse a sus tierras de Aragón, e instala a Felipe en el trono.

Pero Felipe el Hermoso muere a los seis meses escasos de llegar a España, en 1506. La contienda vuelve a surgir. Castilla está a punto de desgarrarse en una guerra civil. Para evitarlo, el arzobispo de Toledo, Cisneros, propone que se llame al rey don Fernando para que administre el país en nombre de su hija, como gobernador del reino.

Fernando muere en 1516. Castilla se encuentra de nuevo con un vacío de poder. Juana sigue siendo la reina en teoría, pero el poder efectivo tendría que recaer ahora en su hijo, el príncipe don Carlos de Gante, que a la sazón reside en Bruselas. Ahora bien, los consejeros flamencos de Carlos no quieren contentarse con el simple título de regente; piensan en la futura sucesión del emperador Maximiliano, abuelo paterno de Carlos, y calculan que Carlos tendrá más posibilidades de ser elegido emperador si es rey de Castilla y no simple regente. La Corte de Bruselas hace caso omiso de todas las advertencias de Cisneros y del Consejo Real de Castilla; el 14 de marzo de 1516 Carlos es proclamado rey de Castilla y Aragón: se trata de un verdadero golpe de Estado, pero Cisneros acepta los hechos consumados para no complicar más una situación muy intrincada y peligrosa.

En Castilla, en efecto, la situación es preocupante. Cisneros gobierna en ausencia del rey don Carlos, pero éste prolonga su estancia en Flandes, con lo cual se viene a producir una dualidad en la gobernación del reino, fuente de dificultades continuas. La Corte puede desaprobar las decisiones de Cisneros en cualquier momento, lo cual le obliga a actuar con suma prudencia. Cisneros se esfuerza al menos por mantener el orden en Castilla, cosa nada fácil, ya que la nobleza, desde la muerte del rey de Aragón, vuelve a intervenir: casi por todas partes se señalan disensiones. Unas veces son nobles que tratan de apoderarse por las armas de territorios disputados; éste es el caso de don Pedro Girón, que intenta ocupar el ducado de Medina Sidonia; otras veces, por fin, son vasallos que se rebelan contra sus señores. En todas partes el Estado es desacatado y parece incapaz de afrontar la situación. Las ciudades, descontentas, piensan en reunir las Cortes de una manera ilegal con el fin de poner remedio a la carencia de autoridad real; Cisneros se opone a ello e insiste al rey para que venga cuanto antes a Castilla. Es necesario hacer comprender al rey la gravedad de la situación y convencerlo para que abandone al instante los Países Bajos:

Visto que ninguna cosa es bastante para suplir la falta que en estos reynos haze la presençia de su alteza, a esta çibdad, con mucha deliberaçión y consejo de muchos letrados y sabios y religiosos de grand conciencia, le paresçió que lo que más convenía para hazer que el rey nuestro señor se determinase de benir a estos reynos es que, en nombre de todos ellos, se enviase a su majestad vna envaxada con personas de grand avtoridad para que solamente suplicasen a su alteza con mucha instancia por su bien aventurada venida y para que manifestasen a su alteza los grandes y peligrosos inconvenientes que pueden subçeder de su avsençia [1].

De todas partes del reino se elevan semejantes peticiones al rey: se espera confusamente que el reinado personal de don Carlos acabará definitivamente con la situación de provisionalidad e inestabilidad que caracteriza a Castilla desde la muerte de la reina Isabel; se confía en que con la llegada del rey volverán la paz, la prosperidad, el orden. Después de más de diez años de disturbios Castilla anhela ser gobernada de nuevo, recobrar la cohesión y la unidad que perdió en 1504.

---

[1] Carta de la ciudad de Burgos a Cisneros, 26 de febrero de 1517 (Archivo General de Simancas, *Memoriales*, leg. 120, fol. 102).

Francois Ximenes de Cisneres Card.l Archeveque de Tolede Grand Inquisiteur d'Espagne & Ministre d'Etat mort en 1517 age de 80 ans

Se vend a Paris chez E Desrochers rue du Foin pres la rue St Iacques

Ximenes passe dans l'histoire
Pour grand Ministre et grand Prelat:
Aussi mit il toute sa Gloire
A servir l'Eglize et l'Etat.

Retrato del cardenal Cisneros, quien tuvo que hacer frente al poder en ausencia de Carlos V.
(Foto: Excmo. Ayuntamiento de Alcalá de Henares.)

EL REINADO PERSONAL DE DON CARLOS

Todas aquellas esperanzas van a quedar frustradas después de la llegada de don Carlos en octubre de 1517.

En primer lugar decepción con la persona misma del rey. El nuevo soberano no logra ganarse el afecto y la simpatía de los súbditos: les da la impresión de ser hombre frío, estúpido, orgulloso. Además, no sabe palabra de castellano; parece desinteresarse por completo de los asuntos políticos. Llega en medio de una Corte en la que los flamencos ocupan los puestos más destacados: uno de ellos, Chièvres, tiene enorme influencia sobre el rey; él es el verdadero amo en Castilla. En la Corte se encuentran también españoles, pero son, o emigrados, como el obispo Mota, que han salido de la patria desde hace más de diez años, o altos funcionarios prevaricadores, como Fonseca y Conchillos; Cisneros los había echado de la Administración; se marcharon a Bruselas y allí se les volvió a dar altos cargos. Unos y otros dan la impresión de tratar a Castilla como si fuera tierra conquistada: se atribuyen sinecuras lucrativas; se reparten los oficios públicos y los beneficios eclesiásticos. El nombramiento del sobrino de Chièvres, un joven de veinte años, como sucesor de Cisneros en el arzobispado de Toledo provoca escándalo y enorme emoción.

Menos de seis meses después de la llegada del rey, cuando se abren las Cortes de Valladolid, la desilusión ya es amplia en todos los sectores. Algunos frailes predican abiertamente denunciando a la Corte, la codicia de los flamencos, la dimisión de la nobleza, que se desentiende por completo del interés general. En definitiva, se le pide al rey que atienda a las causas de la corona más que a las exteriores:

Considerando que vuestra alteza, como sancto, justo, cathólico rey, primero deve e es obligado a socorrer e proveer en las cosas tocantes a sus pueblos, universydades e súbditos e naturales vasallos que a las cosas suias propias; pues aquéstas, vuestra alteza, como rey e sennor soberano de todo y tan poderoso, se proberá a su voluntad, e las de vuestra alteza nos avemos de cumplir y guardar de nesçesydad. E, muy poderoso sennor, ante todas cosas, queremos traer a la memoria de vuestra alteza, se acuerde que fue escojido e llamado por rey; cuia interpretación es regir bien, y porque de otra manera non sería regir bien mas desypar e ansy non se podría nin llamar rey e el buen regir es facer justicia, que es dar a cada uno lo que es suyo, e este tal es verdadero rey, porque aunque en los reyes se halle y tengan otras muchas fuerças, como son linaje, segund los decretos e auctoridades de doctores dicen, synon sólo facer justicia e juicio, e por esta e en nombre della dixo el sabio: «por mí los reyes reynan... Pues, muy poderoso sennor, sy esto es verdad, vuestra alteza, por hacer ésta reynar, la cual tyene propiedad que quando los súbditos duermen, ella vela, e ansy vuestra alteza lo debe hacer, pues en verdad nuestro mercenario es, e por esta causa asaz sus súbditos le dan parte de sus frutos e ganancias suias e le syruen con sus personas todas las veces que son llamados; pues, mire vuestra alteza sy es obligado por contrato callado a los tener e guardar justicia...» [2].

En este contexto se abre en 1519 la sucesión del Sacro Imperio Romano Germánico. Los electores alemanes se pronuncian a favor del rey de España como sucesor del emperador Maximiliano. Don Carlos acepta el nombramiento y anuncia que piensa ir cuanto antes a Alemania a tomar posesión de su

---

[2] *Cortes de los antiguos reinos de León y de Castilla*, publicadas por la Real Academia de la Historia, t. IV, Madrid, 1882, pp. 260-261.

cargo y recibir la corona imperial. Esta circunstancia cristaliza las oposiciones y el descontento. Durante el verano de 1519 el cabildo de Toledo toma la iniciativa de desarrollar una campaña nacional cuyos objetivos pueden resumirse en dos epígrafes:

1. A corto plazo la elección imperial acarrea gastos nuevos e imprevistos: va a ser preciso financiar el desplazamiento de la Corte y hacer frente a los gastos de la coronación. Los impuestos directos se ven aumentados en proporciones drásticas; para los impuestos indirectos, las alcabalas, se pretende renunciar al sistema del encabezamiento, que consistía en repartir entre todos los habitantes la cantidad a pagar por un determinado distrito, y volver al antiguo procedimiento del arrendamiento, en el cual la percepción se realizaba por medio de recaudadores que practicaban frecuentes exacciones y, por tal motivo, eran odiados por la población; al mismo tiempo se quiere sacar mucho más rendimiento de estas mismas alcabalas. Esta presión fiscal es la que justifica en primer lugar la protesta del ayuntamiento de Toledo, que exige que se vuelva a los encabezamientos, procedimiento que se considera más rentable y, desde el punto de vista moral, más favorable al pueblo llano. Sobre el deseo de la vuelta a los encabezamientos ofrecemos la siguiente cita:

Su alteza no tendrá sus rentas tan sanas ni tan seguras en recabdadores como sobre los pueblos encabeçados, como otras muchas vezes emos visto por ysperiençia las grandes quyebras que los recabdadores mayores de estos reynos han hecho e como los reyes de gloriosa memoria pasados perdieron muchas sumas de maravedís [3].

---

[3] Archivo General de Simancas, *Patronato Real*, leg. 3, fol. 55.

2. La protesta antifiscal queda rápidamente postergada. En noviembre de 1519 el ayuntamiento de Toledo sitúa el debate en otro terreno: ya no se trata sólo de cuestionar la fiscalidad, sino la política que se pretende financiar con aquella fiscalidad; es la política imperial, el hecho del Imperio, lo que se pone en cuestión. ¿Vendrá a ser Castilla desde ahora una simple dependencia del Imperio? Este problema es el que encubre la polémica sobre los títulos del rey-emperador: ¿cuál es el título que tiene que venir en primer lugar, el de emperador o el de rey de Castilla?

En lo de los títulos que su cesárea e católica majestad agora nuevamente se a yntitulado, sea seruido de guardar a estos reynos la preeminencia que los reyes pasados de gloriosa memoria, sus progenitores, han sienpre tenido y la reyna, nuestra señora, y su majestad tienen y guardar el estilo y horden en el título que hasta agora se a tenido [4].

La cancillería imperial está a favor de la primera solución, ya que la dignidad imperial es superior a la dignidad real. Detrás de esta discusión formal apunta una inquietud real: la de que Castilla esté desde entonces sacrificada en aras del imperio, y esto de dos maneras: Castilla estará obligada a financiar una política en la que no está directamente implicada; y con el pretexto de que sus obligaciones imperiales exigen que el rey se traslade a Alemania el gobierno de Castilla estará otra vez encomendado a un regente. En ambos casos Castilla queda relegada a un segundo plano; algo que Toledo se niega a aceptar; es lo que viene a significar la discusión en torno a la titulatura. En definitiva, Toledo no quiere saber nada del

---

[4] Archivo General de Simancas, *Patronato Real*, leg. 3, fol. 55.

imperio ni del emperador; para Toledo don Carlos no es más que rey de Castilla.

Éstos son los dos temas —íntimamente relacionados uno con otro— que Toledo desarrolla en todo el territorio con mucho entusiasmo y eficacia, exigiendo la reunión urgente de las Cortes para obligar al soberano a dar explicaciones. En febrero de 1520, en efecto, don Carlos convoca las Cortes. Así espera terminar con la oposición que se viene desarrollando y obtener al mismo tiempo un nuevo servicio. Para mayor seguridad la Corte pide a los corregidores que pongan especial cuidado en que ningún miembro de la oposición salga elegido como procurador y para que se den a estos procuradores un poder muy vago. En realidad, la preparación de las Cortes, en vez de sosegar los ánimos, viene a dar mayor impulso a la oposición, que encuentra en febrero de 1520 una expresión firme en una declaración que redactan unos frailes de Salamanca y a la que se va a dar una enorme difusión.

El texto ha sido elaborado por un grupo de franciscanos, agustinos y dominicos, a quienes los regidores de Salamanca habían pedido su parecer en la preparación de las Cortes y resultó ser un programa concreto de reivindicaciones. Este programa, adoptado en su conjunto por la ciudad de Salamanca y comunicado a todas las ciudades interesadas, se va a convertir rápidamente en una verdadera carta de la oposición a las Cortes y, pocas semanas después, de la revolución de las Comunidades. En este documento aparecen tres ideas principales:

1.   Conviene rechazar todo servicio nuevo: «Que no se consienta en servicio ni en repartimiento que el rey pida al reino.»

2.   Conviene rechazar el Imperio: Castilla no tiene por qué sufragar los gastos del imperio; es el imperio y los territo-

rios que forman parte de él los que han de contribuir a ello; los recursos de Castilla se deben emplear en la defensa exclusiva de Castilla, no en la defensa de los demás territorios sobre los que ejerce soberanía Carlos V.

En caso que no aproveche nada este requerimiento, pedir al rey nuestro señor tenga por bien se hagan arcas de tesoro en las Comunidades en que se guarden las rentas destos reynos para defendellos e acrecentarlos e desenpeñarlos, que no es razón Su Cesárea Majestad gaste las rentas destos reynos en las de los otros señoríos que tiene, pues cada qual dellos es bastante para si, y éste no es obligado a ninguno de los otros ni subjeto ni conquistado ni defendido de gentes estrañas [5].

3. Una amenaza: en caso de que el rey quisiera seguir en sus intentos y se negase a tener en cuenta las advertencias de los súbditos, las Comunidades tendrían que sacar todas las consecuencias de la situación y tomar en sus manos la defensa de los intereses del reino.

Las *Comunidades.* Por primera vez aparece el término desde el principio de aquella campaña de oposición. Palabra muy imprecisa y por ello mismo peligrosa. ¿En qué piensan los frailes de Salamanca? Creo que la palabra tiene al menos tres significados:

—Se piensa primero en las colectividades locales (municipios, universidades, grandes instituciones nacionales) que tienen ciertas responsabilidades en la vida nacional.

---

5 Archivo General de Simancas, *Estado,* leg. 16, fol. 416.

—La palabra tiene además una resonancia social inequívoca: la comunidad es el pueblo, el común, la masa de la nación, por oposición a los privilegiados, el pueblo traicionado por las elites, la aristocracia, los altos funcionarios. En este sentido pronto se va a oponer *comunero* a *caballero*; o sea que, hasta cierto punto, la comunidad es el tercer estado.

—Por fin, la comunidad encierra la idea del bien común, de la comunidad nacional, opuesta a los intereses personales y dinásticos del soberano.

Todos aquellos matices se encuentran en la palabra *Comunidad* o *Comunidades,* que pronto vienen a ser sinónimo de revolución.

Sin embargo, don Carlos no hace caso de aquellas amenazas. Las Cortes se reúnen en Santiago de Compostela, a finales del mes de marzo de 1520. El obispo Mota intenta convencer a los procuradores halagando el orgullo nacional: el rey de Castilla se ha revestido ahora de la dignidad imperial y se encuentra por tanto por encima de los demás soberanos:

Siendo, pues, el rey nuestro señor más rey que otro; más rey, porque tiene más y mayores reynos que otros; más rey, porque él solo en la tierra es rey de reyes; más rey, porque es más natural rey, pues es no sólo rey e fijo de reyes mas nieto y subcesor de setenta y tantos reyes [6].

Ello acarrea responsabilidades nuevas de las que no quiere ni puede desentenderse: la Providencia le ha encomendado una misión, la de salvar la Cristiandad amenazada por los turcos.

---

[6] Cortes..., *op. cit.,* p. 290 s.

Muerto el emperador Maximiliano [...] ovo grand contienda en la elección del Imperio, y algunos lo procuraron, pero quyso e mandólo Dyos que syn contradición cayese la suerte en su majestad, y digo que lo quyso Dios y lo mandó así porque hierra, a mi ver quyen piensa ny cree quel imperio del mundo se puede alcanzar por consejo, industria ny diligencia humana; sólo Dios es el que lo da y lo puede dar [7].

¿Puede Castilla negarse a colaborar en aquella misión y no contribuir a los gastos necesarios? Mota promete, por fin, que la ausencia del rey será breve, unos tres años como máximo.

Después destos tres años, el huerto de sus placeres, la fortaleza para defensa, la fuerza para ofender, su tesoro, su espada, su caballo e su silla de reposo y asiento ha de ser España [8].

El discurso de Mota parece que no ha convencido a muchos procuradores. En su mayoría están dispuestos a no votar el servicio que se les pide. El rey decide entonces suspender las deliberaciones; la Corte vacila: ¿no sería preferible renunciar al servicio y acudir a empréstitos para obtener los fondos necesarios? Chièvres se empeña y se esfuerza por ganarse a algunos de los oponentes con presiones, amenazas y también con mercedes y corrupciones. Cuando opina que las cosas están bien preparadas, Chièvres vuelve a reunir a los procuradores en La Coruña, ya que la Corte piensa embarcarse nada más ser votado el servicio. Éstas son las circunstancias en las que el rey acaba por obtener un voto favorable para un nuevo servicio. El 20 de mayo de 1520 se embarca para

---

[7] *Ibid.*

[8] *Ibid.*

Alemania, y deja a su antiguo preceptor flamenco, el cardenal Adriano, futuro papa Adriano VI, como gobernador del reino en su ausencia, tarea muy difícil, ya que, en vez sosegarse, la oposición ha tomado mayor amplitud y fuerza con motivo de las Cortes.

Carta de los frailes de Salamanca

A los muy magníficos señores, los señores regidores de la muy noble y muy leal ciudad de ZAMORA.

Muy magníficos señores:

Paz y eterna salud sea con vuestras mercedes y celo y amor del bien común destos reinos y más principalmente del Servicio de Dios.

El reverendo padre guardián de San Francisco y los padres infraescritos de la orden de San Agustín y Santo Domingo desta ciudad hemos hallado presentes a los tratos que se han hecho para enviar los procuradores a las Cortes. Ha sido tan bueno y tan en servicio de Dios lo que se acordó que nos pareció que éramos obligados (a) notificarlo a vuestras mercedes para que den poder conforme al que de acá va y, si hay algún aviso que no cumpla al servicio de Dios y del bien de estos reinos y del rey nuestro señor, seamos avisados, porque los regidores u sexmeros de esta ciudad tienen a esto tan buena voluntad que se conformarán con todo mejor parecer que más cumpla.

Envían poder limitado y, demás de este poder limitado, cierta instrucción firmada de todos los regidores que presentes se hallaron.

Piden en el poder que por ser el negocio que en Cortes se ha de tratar tan arduo, tan nuevo y tan peligroso, requiere mucha deliberación; se dilaten las Cortes por medio año y que se tengan en tierra llana.

Suplican al rey no se vaya y que no dé consentimiento a su partida.

Que no consientan sacar por ninguna vía dineros del reino ni de las rentas ni de las dignidades ni oficios ni beneficios que al presente están en poder de extranjeros.

Que no se den dignidades ni oficios ni tenencias a extranjeros.

Que no se quite la contratación de las Indias, islas y Tierra Firme, de Sevilla ni se pase a Flandes.

Que los oficios de las dichas islas que no se den a extranjeros.

Que no se consienta en servicio ni repartimiento que el rey pida al reino. De cada cosa de éstas se da en el poder una brevecica razón.

La instrucción contiene que su alteza ponga los de su consejo, así del secreto como del público, en lo que a estos reinos toca, especialmente en los de los reinos de Castilla, que su alteza no dé los provechos de estos reinos a extranjeros sino a naturales.

Que en casa de su alteza se críen los hijos e hijas de los nobles del reino.

En caso que no puedan impedir su partida, requieran al rey nuestro señor con el debido acatamiento que se case y después que nos dejare sucesión se vaya y si esto no hubiere lugar le hagan requerimiento con tres o cuatro escribanos que si algo se hiciere cumplidero al bien destos reinos de que su alteza, a parecer de los que le aconsejan la partida, no se tenga por servido, que las Comunidades de estos reinos no caigan por ello en mal caso, que más obligados son al bien de estos reinos en que viven que no a lo que pareciere a los que le aconsejan la partida y más en su servicio estar en ellos y gobernarlos por su presencia que no ausentarse y, en caso que no aproveche nada este requerimiento, pedir al rey nuestro señor tenga por bien se hagan arcas de tesoro en las Comunidades en que guarden las rentas de estos reinos para defenderlos y acrecentarlos y desempeñarlos; que no es razón su cesárea majestad gaste las rentas de estos reinos en las de otros señoríos que tiene, pues cada cual dellos es bastante para sí y éste no es obligado a ninguno de los otros ni sujeto ni conquistado ni defendido de gentes extrañas.

Que se provea como por entrar moneda en estos reinos de otros salga la moneda de oro, que se alce la moneda de oro al tenor de los reinos comarcanos, porque corra allá nuestro oro y si pareciere se abaje en quilates, lo cual será mejor porque no crezcan los precios de las cosas y en caso, lo que Dios no quiera, que estos reinos hayan de quedar en gobernadores, lo cual en todas las historias de estos reinos, así las modernas como las antiguas, se lee que siempre fueron dañosos, que se provea de gobernadores conforme a las leyes de estos reinos y que les quede poder muy bastantísimo, tal que puedan proveer de los oficios, tenencias, dignidades y encomiendas, porque de otra manera serán muy vejados en enviar por la provisión a Flandes o a Alemania y no se podrán guardar las leyes que se piden, conviene a saber que no se vendan los públicos oficios y todo se venderá, yendo por ello a Flandes o a Alemania.

Que se modere este desacato a la sangre de Cristo con tanta multitud de bulas y tanta falsedad como los echacuervos predican y la vejación que a los pueblos se hace, así en detenerlos en los lugares que no vayan a sus labores como en compelerlos indirectamente que tomen las bulas modernas, suspendiéndoles las viejas, lo cual, aunque el Papa lo pueda hacer, parece injusto, pues dieron sus dos reales.

Item, que en gran escándalo, no sólo la causa pia en que se debe expender la moneda de la cruzada muchas veces es dudosa o oculta al pueblo, mas es pública voz y fama que los dineros habidos de la cruzada quedan de merced a gente extranjera o fuera del propósito de las pias causas e infinitos males que desto suceden o son públicos, como es dispensar con comunmidades en cosas que, aunque sean de jure positivo, se debían de dispensar con particulares, como es en carne y huevos, etc...

Los regidores de esta ciudad y la comunidad, porque sin más inconvenientes se hiciese, nos rogaron que escribiésemos a vuestras mercedes porque por manos de religiosos ésta viniere a manos de vuestras mercedes.

Acá se ha hecho ésta contra voluntad del teniente que quería se diese el poder por cierta minuta que el rey envió.

Están muy determinados todos los regidores, pueblo y clerecía, de estar en esto hasta que les echen los muros acuestas. No vendrá tanto mal.

Por servicio de Dios, vuestras mercedes hagan lo que de tan nobles señores se espera y nos avisen si otra cosa hay sobre esto que no convenga y, si por ventura hubiere dado poder y no fuere limitado, que lo revoquen, y lo den limitado o den minuta por la cual se rijan los caballeros que fueren o dejen hecho pleito homenaje de no exceder della.

No curen en esto de la justicia, que hacen lo que el rey les manda por temor servil y no porque les parezca conveniente. Será muy más fructuoso si es contradicho por la justicia porque más parecerá la voluntad de los que acá quedan, siendo contradicho, que de otra manera y los procuradores tendrán más causa de resistir y tendrán alejados muchos inconvenientes y peligros.

Y porque confiamos que los claros entendimientos de vuestras mercedes tiene Nuestro Señor alumbrados y sus voluntades inflamadas en su amor, aficionadas al bien común, al culto divino, a la conversación de este reino, lo cual todo perecería si no es remediado sobre males tan notorios, parécenos que ofenderíamos a tan generosas y nobilísimas personas en las persuadir tan grandes bienes y disuadir tan execrables y grandísimos males.

Nuestro Señor prospere en su servicio las magníficas personas y muy católicos ánimos de vuestras mercedes.

De Salamanca, hoy, día de San Matías [9].

---

[9] Archivo General de Simancas, *Estado*, leg. 16, fol. 416.

II. DE ÁVILA A TORDESILLAS

LA JUNTA DE ÁVILA

Desde el mes de abril de 1520, al menos, Toledo se mostraba francamente rebelde a la autoridad real. Después de la interrupción de las Cortes el 4 de abril, la Corte había tratado de modificar la composición del regimiento, muy contrario a la política real. El corregidor animó al rey a actuar sin pérdida de tiempo. Los regidores más activos (Padilla, Ávalos, Gonzalo Gaitán) fueron llamados a Santiago al mismo tiempo que se enviaban nuevos regidores, de cuya fidelidad el monarca podía estar seguro. Su misión era intentar que se nombraran nuevos procuradores, más dóciles, antes de que se reanudasen las sesiones de las Cortes.

Para que, ydos éstos y venidos los otros, la ciudad revocase los poderes que había dado a don Pero Laso y a Alonso Suárez y se diesen otros a don Juan de Silva y a Alonso de Aguirre [10].

La maniobra fracasó estrepitosamente y provocó una gran conmoción. La orden del rey llegó el domingo de Pascua, 15 de

---

[10] Prudencio de Sandoval, *Historia de la vida y hechos del emperador Carlos V,* BAE, t. LXXX, p. 206.

Simón Bening, Carlos de Gante con los símbolos de su poder y la corona imperial sostenida por dos ángeles, *Instituto Valencia de Don Juan, Madrid.*

abril, y suscitó apasionados comentarios. Al día siguiente, cuando Padilla y sus colegas se preparaban para partir, una gran multitud los rodeó, aclamándoles así: «Estos señores se habían puesto por la libertad de este pueblo.» La manifestación se convirtió en revuelta. La multitud se opuso a la marcha de los regidores y se apoderó de las autoridades locales. A su vez los predicadores comenzaron a exhortar a los toledanos a unirse contra los flamencos y sus cómplices. Lo que ya empezaba a llamarse *Comunidad*, es decir, el poder popular, insurreccional, comenzó a adueñarse, uno tras otro, de todos los poderes municipales; los delegados de los diversos barrios de la ciudad (*diputados*) formaron un nuevo concejo municipal con la intención de gobernar la ciudad en nombre del rey, de la reina y de la *Comunidad*. Los regidores y caballeros contra los que se dirigía el tumulto popular se refugiaron en el alcázar, y adoptaron una actitud amenazante hacia los insurgentes. La multitud rodeó entonces el alcázar y sus defensores prefirieron entregar la fortaleza sin resistencia. El día 31 de mayo tuvo lugar en Toledo el último acto de esta revolución: el corregidor, desacreditado, impotente, abandonó la ciudad a la comunidad victoriosa.

Estos episodios son el anticipo de una serie de disturbios que se producen en junio del mismo año. La marcha del rey, a finales de mayo, da la señal para una agitación que cunde por todas partes. En varias ciudades se acusa a los procuradores que han votado el servicio de las Cortes de Santiago y estallan motines contra los representantes del monarca, los corregidores, los altos funcionarios, los arrendatarios de impuestos. No siempre resulta fácil distinguir entre desórdenes que surgen de manera casi espontánea y levantamientos cuidadosamente preparados.

Segovia fue el escenario de los primeros y más violentos incidentes. El 29 de mayo se celebró en la iglesia del Corpus

Christi la reunión anual de los cuadrilleros, encargados de la recaudación de los impuestos locales. Naturalmente, no podían dejar de comentarse los acontecimientos de Toledo y La Coruña y, a continuación, se lanzaron duras acusaciones contra el representante del poder central, el corregidor, a quien se reprochaba su absentismo, y sus colaboradores, preocupados ante todo de obtener cuantiosos beneficios. Nada había de nuevo en estas críticas, que desde hacía tiempo eran recogidas por voces autorizadas en informes oficiales. Nada hubiera sucedido quizá de no haber sido por la indignada reacción de un funcionario subalterno, Hernán López Melón, quien denunció estos discursos sediciosos como un crimen de lesa-majestad, ya que se osaba atacar a los representantes de la autoridad, y profirió veladas amenazas contra los calumniadores. La reacción de la población no pudo ser más fulminante. La multitud se apoderó de su persona, fue conducido fuera de la ciudad y linchado sin ningún tipo de procesamiento. Uno de sus colegas cometió la imprudencia de protestar contra este asesinato e inmediatamente corrió la misma suerte.

El 30 de mayo, con la ciudad todavía en gran agitación por los acontecimientos de la víspera, Rodrigo de Tordesillas se dispuso a dar cuenta de su actuación como procurador en Cortes. La multitud se agolpó en torno a la iglesia San Miguel donde el regimiento esperaba la llegada de Tordesillas para dar sus explicaciones. El procurador intentó valientemente hacer oír su voz, pero no se le quiso escuchar. La multitud destruyó el cuaderno que contenía la justificación de su actuación en las Cortes, le arrastró hacia la prisión entre golpes e insultos y acabó por estrangularlo en plena calle. No contenta con esto, se ensañó con el cadáver, que fue colgado junto a las dos víctimas del día anterior.

El mismo día en que tales acontecimientos se desarrollaban en Segovia, Zamora recibió sin ninguna demostración de afecto a sus dos procuradores. El movimiento fue menos espontáneo en este lugar; todo había sido preparado de antemano por un magnate, el conde de Alba de Liste, que se proponía acusar a los procuradores ante un Tribunal formado por cuatro regidores «para que éstos les diesen el castigo que mereciesen». Esta especie de comedia fue suficiente para dar satisfacción a la multitud encolerizada que exigía el castigo de los traidores y pudo evitar violencias más graves. En efecto, el conde había redactado de antemano la sentencia que debía pronunciar el jurado improvisado: a no ser habidos por hidalgos de ahí en adelante y «desnaturados» de la ciudad y habidos por pecheros.

En Burgos también la agitación fue muy intensa durante varios días y se produjo casi exactamente el mismo proceso que había provocado las violencias de Segovia. Todo comenzó el 10 de junio con una reunión de los delegados de las vecindades convocada por el corregidor. La discusión subió de tono rápidamente; a los ataques de que era objeto, el corregidor respondió con amenazas, lo cual desencadenó la agitación del populacho. Los manifestantes ocuparon la fortaleza y pusieron en fuga a las autoridades locales. Dueña de la ciudad, la multitud nombró entonces un nuevo corregidor, don Diego Osorio, hermano del obispo de Zamora, Antonio de Acuña. Osorio al parecer no hizo nada que justificara la confianza de la población en tales circunstancias y se mostró totalmente incapaz de apaciguar los ánimos. Los manifestantes se lanzaron al asalto de algunas mansiones, las de los notables especialmente impopulares. Garcí Ruiz de la Mota, procurador y hermano del obispo Mota, pudo huir a tiempo, mientras veía cómo se quemaba su casa. Asimismo, Diego de Soria y Francisco de Castellón, recaudadores de impuestos, sufrieron las mismas tribulaciones.

La ciudad de Burgos tenía una deuda que saldar con un francés, Jofre de Cotannes, que se había hecho conceder por los flamencos la fortaleza de Lara. Su casa fue saqueada y Cotannes pudo escapar no sin antes proferir amenazas contra los «marranos» de Burgos. Poco después fue capturado y llevado a la ciudad, donde, pese a los esfuerzos de sus amigos y de Diego Osorio, fue ferozmente golpeado, provocándole la muerte y luego fue colgado por los pies. Al igual que había sucedido en Segovia, en Burgos la multitud se apoderó de los representantes y colaboradores de la autoridad, así como de los recaudadores de impuestos. No obstante, la revuelta, en la que los artesanos desempeñaron un papel de primera importancia, no degeneró en pillaje.

No fue fácil evitar que las calles de Guadalajara se llenasen de sangre al igual que había sucedido en las de Segovia y Burgos. El 5 de junio una multitud numerosa rodeó el palacio del duque del Infantado, y exigía el castigo de los dos procuradores que habían representado a la ciudad, acusados de traición. El duque suplicó encarecidamente a sus conciudadanos que no se entregaran a los excesos que habían tenido lugar en Segovia. Pero no pudo evitar la expulsión de los magistrados municipales, el ataque contra la fortaleza y el asalto contra las casas de los procuradores que resultaron destruidas hasta los cimientos.

En las demás ciudades los incidentes no fueron tan graves. En León se entabló un fuerte altercado entre el conde de Luna, procurador, y Ramiro Núñez de Guzmán, pero gracias a la influencia de Juan Ramírez, otro miembro de la poderosa familia de los Guzmanes, la situación no degeneró en una rebelión abierta. En Ávila, el día 5 de junio, Sancho Sánchez Cimbrón exigió en términos conminatorios a los procuradores que en el plazo máximo de diez días acudieran a dar cuentas de su gestión ante el regimiento. No sabemos si realmente cumplieron con lo que se les exigía, pero, de cualquier modo, no existen pruebas de ningún acontecimiento grave en Ávila durante este primer período. Ningún incidente tuvo lugar en Valladolid, donde los procuradores explicaron su actuación ante los regidores y luego ante los delegados de las parroquias sin que en ningún caso hubiera gran animosidad contra ellos. Los rumores sobre los impuestos votados y sobre los acontecimientos de Segovia suscitaron animadas discusiones, pero sin llegar a provocar alborotos. Parece que la presencia en esta ciudad del cardenal Adriano y del Consejo Real sirvió como importante factor de moderación.

El descontento general y los disturbios que se venían produciendo por todas partes dieron a la Comunidad revolucionaria de Toledo la oportunidad de recobrar su protagonismo. El 8 de junio, Toledo propuso a las ciudades con voz y voto en Cortes que se celebrara una reunión urgente con la finalidad de poner orden en el reino. Toledo proponía cinco objetivos concretos:

1.   Anular el servicio votado en La Coruña.

2.   Volver al sistema de encabezamientos.

3.   Reservar los cargos públicos y los beneficios eclesiásticos a los castellanos.

4.   Prohibir las exportaciones de dinero.

5.   Designar la persona de un castellano para dirigir el país en ausencia del rey.

Estas reivindicaciones merecían una amplia aprobación en el reino, sobre todo las dos primeras. Desde el púlpito, los predicadores incitaban al pueblo a la rebelión, como aquel dominico que, el 22 de julio en Valladolid, pronunció la apología de los toledanos y segovianos. No atacó al rey, pero no por ello dejó de denunciar la forma en que había conseguido la elección para el imperio:

Ha comprado con dinero el imperio.

Las reivindicaciones formuladas sin ambages ocultaban designios políticos más ambiciosos en la línea de la carta-programa de los frailes de Salamanca, de la cual se tomó el espíritu y las principales disposiciones. La integración de Castilla en el imperio se presentaba como una catástrofe nacional («grandísimo daño del reino»). Había que defender, incluso contra el rey si llegaba a ser necesario, los intereses del reino:

Dicen expresamente que las pecunias de Castilla se deben gastar al provecho de Castilla y no de Alemania, Aragón, Nápoles, etc. y que Vuestra Majestad ha de gobernar cada una tierra con el dinero que de ella recibe. De manera que en efecto no quieren dejar nada para las consignaciones y libranzas hechas para Alemania [...]. También dicen que, de los dineros del reino, primero se ha de socorrer a las necesidades de aquél antes que se hayan de sacar por otras urgentes necesidades. Lo cual también parece a todos que de los dineros de Vuestra Alteza que aquí se cogen se deben tomar cuantos abastaren para atajar y quitar los peligros del reino, para que el mismo no se pierda, aunque Vuestra Majestad fuese forzado a ello, pues es para tal efecto [11].

«Aunque Vuestra Majestad fuese forzado a ello»: el reino pretendía pues sustituir al rey y se le quería prohibir la libre disposición de los ingresos del Estado.

---

[11] Carta del cardenal Adriano al emperador, 10 de julio de 1520 (Archivo General de Simancas, *Patronato Real*, leg. 2, fol. 1).

Toledo alimentaba además otras ambiciones. Se hablaba con insistencia de la posibilidad de convertir a las ciudades castellanas en ciudades libres a semejanza de Génova y de las repúblicas italianas. En Ávila y Segovia se afirmaba que la finalidad esencial de la Junta sería acudir a Tordesillas a devolver a la reina todas sus prerrogativas. Ni más ni menos circulaba la idea de destronar a Carlos V. Por tanto, era algo muy distinto de una simple protesta contra la presión fiscal. Lo que se estaba preparando era una auténtica revolución. Castilla tenía perfecta conciencia de este hecho, y fue por eso por lo que se acogió con ciertas reservas la sugerencia de Toledo de reunir en una junta a las ciudades. Las propuestas y reivindicaciones lanzadas por Toledo el 8 de junio con el fin de reunir una Junta revolucionaria eran, sin duda, muy populares, pero, sin embargo, encontraron un eco muy débil en la mayoría de los municipios. Después de seis semanas de discusiones, la junta reclamada por Toledo acabó por reunirse, a principios del mes de agosto, en Ávila; pero sólo cuatro ciudades habían enviado sus procuradores: Toledo, Segovia, Salamanca y Toro. El resultado era decepcionante, pero los errores del gobierno real van a cambiar rápidamente las cosas.

La amplitud de las protestas contra los impuestos, hábilmente aprovechada por Toledo en el plano político, colocó al poder central en una situación muy delicada. El cardenal Adriano, encargado de llevar las riendas del gobierno, no poseía ni la autoridad moral ni la posibilidad jurídica necesarias para hacerle frente con una cierta eficacia. Probablemente, si se hubiera decidido a realizar ciertas concesiones en el momento oportuno, hubiera podido satisfacer las reivindicaciones más urgentes y aislar a los revolucionarios. Pero el cardenal había recibido unos poderes muy limitados por parte del rey que lo obligaban a consultar con el monarca antes de tomar cualquier decisión importante. Por otra parte, algunos miembros del Consejo Real, partidarios de la política de mano dura, lo inducían a utilizar medidas represivas contra los agitadores de Segovia. Esta operación de castigo, muy mal organizada, acabó por levantar todo el país en su contra, haciéndole perder cualquier vestigio de la autoridad que aún conservaba.

En efecto, a todos cuantos, en el círculo del cardenal, pretendían encontrar una solución política al problema, se oponían los partidarios de una línea de dureza, encabezada por don Antonio de Rojas, arzobispo de Granada y presidente del Consejo Real.

El presidente del Consejo está muy mal comigo porque yo soy de boto que todo el reyno se sosegase castigando moderadamente y perdonando. El no ha querido syno degollando y abrasando, de manera que son mayores los casos que agora se hazen que los pasados y serán mayores los de aquí adelante. Diréis a su majestad que si no va a la mano del presidente, questos reynos llevan camino de perderse [12].

El 10 de junio el alcalde Ronquillo había recibido la orden de abrir una investigación sobre el asesinato del procurador de Segovia, Tordesillas; misión imposible de cumplir, dadas las circunstancias. Ronquillo se contentó con proferir amenazas que no hicieron más que exasperar a los segovianos y transformó su encuesta en expedición de castigo; trató de aislar por completo a Segovia impidiendo el aprovisionamiento de la ciudad. Algunas escaramuzas le ganaron el repudio de los ciudadanos

---

[12] Carta del cardenal Adriano al emperador, 24 de junio de 1520 (Archivo General de Simancas, *Patronato Real*, leg. 2, fol. 1).

que se unieron más que nunca en torno a los jefes de la Comunidad y, en especial, de Juan Bravo, investido de responsabilidades militares. Cuanto mayor era la presión, más fuerte se hacía la determinación de los segovianos. Esta resistencia exasperó a Ronquillo y a las autoridades, quienes, a finales de junio, decidieron utilizar medios más contundentes para acabar con ella: enviar a Segovia en favor de la justicia real toda la gente de a pie y de a caballo que fuere menester. A las peticiones de auxilio por parte de Segovia respondió Toledo poniendo una milicia en pie de guerra a cuyo frente iba Juan de Padilla. Por su parte, la Comunidad de Madrid decidió recaudar un impuesto especial para comprar armas y reclutar soldados, que acudirían también a ayudar a los segovianos. La operación represiva se convertía así en una verdadera prueba de fuerza entre el poder real y las ciudades rebeldes, para las cuales estos acontecimientos fueron ocasión de afirmar su solidaridad y su determinación.

LA JUNTA DE TORDESILLAS

En los últimos días de julio el cardenal Adriano pensó en la posibilidad de utilizar contra Segovia la artillería real que se encontraba en Medina del Campo, aun con el riesgo de que tal proyecto pudiera provocar un levantamiento de la ciudad. Abandonó la idea para volver a considerarla tres semanas más tarde, cuando llegaron noticias de que se aproximaba la expedición toledana mandada por Padilla. Se temía un golpe de efecto en Tordesillas, donde residía la reina.

Antonio de Fonseca, capitán general del ejército real, recibió la orden de dirigirse a Medina del Campo, tomar la artillería e impedir el paso a Padilla. Fonseca se presentó en Medina del Campo el 21 de agosto, pidiendo que se le diese posesión de la artillería real. Se encontró con una fuerte oposición: a la ciudad le repugnaba hacer entrega de unas armas que creía iban a emplearse contra Segovia. Durante toda la mañana Fonseca parlamentó sin ningún resultado. Hizo avanzar sus tropas, pero la población les impidió el paso. Fonseca entonces dio la orden de ataque. Con el fin de distraer a la población, Fonseca —o quizá uno de sus colaboradores— provocó un incendio en la calle de San Francisco, pensando que la gente abandonaría el combate para tratar de apagar el fuego, pero todo el mundo permaneció en su puesto. El incendio se extendió por una vasta zona de la ciudad y después al convento de San Francisco, donde los comerciantes almacenaban sus mercancías en los intervalos entre las ferias. Fonseca acabó retirándose, y dejó atrás una ciudad medio destruida. Estas llamas iban a provocar otro tipo de incendio por toda Castilla.

En efecto, los comuneros explotan de forma inteligente el incendio de Medina del Campo. Impresionado por la oleada de protestas, el cardenal Adriano no tiene más remedio que licenciar el ejército real; renuncia así a los pocos recursos de que dispone. Se encuentra desarmado, desacreditado; otras revueltas se producen en ciudades que, hasta la fecha, se habían mantenido tranquilas. Éste fue sobre todo el caso de Valladolid.

La ciudad estaba impaciente por adherirse al movimiento que estremecía a toda Castilla, y se elogiaba abiertamente la actitud de Toledo y Segovia. Durante la noche del 22 de agosto, cuando se tuvo noticia del incendio de Medina del Campo, los habitantes dieron rienda suelta a sus sentimientos, durante tanto tiempo contenidos. La multitud incendió las casas del capitán general Fonseca, del rico recaudador de impuestos Pero del Portillo y del procurador en Cortes Francisco de la Serna. El presidente del Consejo Real, arzobispo de Granada, don Antonio de Rojas, pudo conservar la vida gracias a una circunstancia puramente fortuita: vivía en casa del cardenal Adriano, personalidad que los rebeldes respetaban, a pesar de que discutían su autoridad. En los días siguientes Rojas se dio a la fuga, aterrorizado, junto con algunos de sus colaboradores a quienes la población detestaba profundamente por haber aconsejado el movimiento represivo y por haberse hecho cómplices de los flamencos. Otros notables que hasta aquel momento habían intentado mantener el orden también huyeron de la ciudad.

Valladolid se dio a sí misma un gobierno popular, una comunidad, a imagen de las de Toledo y Segovia. Esta comunidad, presidida por el infante de Granada, descendiente de los últimos reyes moros, estaba dominada, no obstante, por algunos notables cuya preocupación esencial era la de mantener el orden. El 25 de agosto, todos ellos prestaron juramento de fidelidad a la comunidad, aunque no sin reservas, ya que este organismo, que se decía revolucionario, se apresuró a solicitar la investidura oficial del cardenal Adriano. Esto, sin embargo, no inquietó a los comuneros auténticos, gozosos de que Valladolid hubiera dado el primer paso hacia la revolución, siempre el más importante. Indudablemente, la adhesión al movimiento de la gran ciudad de la meseta, había de tener importantes repercusiones. Como se escribió desde Segovia, todo el reino tenía puestas las miradas en Valladolid: «Así ha de ser luz y claridad para la vista de estos reinos.»

En el plano político la Junta de Ávila no tardó en obtener beneficios de la indignación general y del descrédito en que se veía envuelto el poder real. Algunas de las ciudades que se mostraban hasta la fecha reticentes anunciaron ahora que enviaban sus procuradores a Ávila. El cardenal Adriano intentó por todos los medios recuperar el control de la situación. Ante la imposibilidad de luchar contra la corriente general hizo suyo el proyecto de convocar una asamblea que se reuniría en Valladolid bajo su presidencia. La propuesta llegó demasiado tarde. Fue en Ávila y no en Valladolid donde se reunieron los representantes de las ciudades. El cardenal se rebajó incluso a negociar con la Junta rebelde en un intento de que aceptara trasladarse a Valladolid, pero la Junta no quiso escuchar a su enviado. Había perdido en el plazo de unos pocos días toda su autoridad y el licenciamiento del ejército real le privaba de cualquier medio de presión, justo en el momento en que las tropas de Padilla, acogido como un libertador, entraban en Medina del Campo y en Tordesillas.

Por muchas cabsas justas que nos mueven para el bien destos reynos, nos paresció y se determinó que todavía se compliese con effeto lo que a vuestras mercedes ya hemos escrito, que en ninguna manera esos señores se junten ni libren a manera de Consejo asta tanto que el reyno provea en saber y averiguar los culpados y se les dé la pena que merecen y los que no tovieren culpa el galardón que es razón. Y porque si la venida de esos señores, como piden, a estas Cortes e Santa Junta fuese como personas de Consejo, sería grand inconveniente para el abtoridad del reyno que veniesen como superiores o yguales a dar cuenta del cargo e culpas que se presume q tienen, se acordó que después de aver depuesto su oficio que pretenden tener y quedar suspensos dél, que vengan a buen ora y por la presente el reyno les asegura e da entera seguridad para su venida y estada y buelta [13].

_____

[13] Carta de la Santa Junta a la Comunidad de Valladolid, 21 de septiembre de 1520 (Archivo General de Simancas, *Patronato Real*, leg. 3, fol. 56).

Las milicias de Toledo, Madrid y Segovia se encontraban, en efecto, en las cercanías de Martín Muñoz de las Posadas en el momento en que Fonseca llevaba a cabo su desastrosa operación contra Medina del Campo. El 23 de agosto, obedeciendo órdenes de la Junta, se dirigieron hacia el norte; al día siguiente entraban en Medina del Campo, tomando posesión en medio del entusiasmo general de los cañones que algunos días antes habían sido negados al ejército real. Al mismo tiempo, la población de Tordesillas se sublevaba, forzando las puertas del palacio. El marqués de Denia, a quien estaba encomendada la custodia de la reina doña Juana, no tuvo más remedio que aceptar que una delegación visitara a la reina. Doña Juana se enteró entonces de los principales acontecimientos acaecidos en Castilla desde la muerte de su padre, don Fernando el Católico. Los comuneros de Tordesillas llamaron urgentemente a Padilla para que acudiera a liberar a la reina de los «tiranos».

Para quitar la infamia que desto ponen a los reyes don Fernando y don Phelipe, de gloriosa memoria, y también por lo que predican de Vuestra Majestad, con motiuo que no han tenido en esto la diligencia que era necesaria para que su alteza se curase y que la han tenido Vuestra Majestad y los susodichos abuelo y padre presa contra su voluntad en Tordesyllas para que pudiessen reinar, les dixe en mi carta que de balde se hauía fecho todo lo que en tiempo passado se procuró para la salud de su alteza [14].

El miércoles 29 de agosto llegaron a Tordesillas los jefes militares de la Junta. Introducidos junto a la reina, le relataron

---

[14] Carta del cardenal Adriano, 13 de noviembre de 1520 (Archivo General de Simancas, *Patronato Real*, leg. 2, fol. 1).

de nuevo las tribulaciones que un gobierno detestable había provocado en el reino y le expusieron los fines de la Junta de Ávila: poner fin a los abusos, devolver a la reina sus prerrogativas y protegerla contra los tiranos. Doña Juana se conmovió profundamente ante su declaración. Respondiendo a una pregunta de Padilla, parece que declaró entonces: «Sí, sí, estad aquí en mi servicio y avisadme de todo y castigad los malos que en verdad os tengo mucha obligación.» Palabras que inmediatamente Padilla decidió acatar exactamente: «Así se hará como Vuestra Majestad lo manda.»

Cumpliendo al pie de la letra aquella declaración, la Junta se traslada de Ávila a Tordesillas e invita a las ciudades que todavía no lo habían hecho a enviar a sus procuradores. A fines de septiembre, catorce ciudades están representadas en Tordesillas: Burgos, Soria, Segovia, Ávila, Valladolid, León, Salamanca, Zamora, Toro, Toledo, Cuenca, Guadalajara, Murcia y Madrid; de las dieciocho que tienen voz y voto en Cortes sólo faltan las ciudades andaluzas (Sevilla, Granada, Córdoba y Jaén). El área de influencia del movimiento comunero queda perfectamente diseñada: se concentra al norte de la Sierra Morena. Considerando que desde ahora la mayoría del reino está representada en Tordesillas, la Junta modifica su título y pasa a llamarse *Cortes y Junta General del reino*. El 24 de septiembre los procuradores piden audiencia a la reina. Don Pero Laso de la Vega, procurador de Toledo, en nombre de todos, aclara lo que ha motivado la reunión de la Junta. Luego, el doctor Zúñiga, catedrático de Salamanca, expone los fines de la asamblea: proclamar la soberanía de la reina y remediar el reino poniendo fin a los abusos cometidos desde 1516. Cabe advertir que, siempre que se refiere a Carlos V, el doctor Zúñiga le llama: «Nuestro príncipe, el hijo de Vuestra Alteza.» Se niega pues a reconocer el golpe de estado de 1516, ratificado por Cisneros y luego por las Cortes de 1518: para él, don Carlos no tiene ningún derecho a proclamarse rey en vida de su madre.

El 25 de septiembre, en una declaración solemne, la Junta se compromete a obrar, con ayuda de las armas, si fuese necesario, por el «remedio, paz y sosiego y buena gobernación» de los reinos de Castilla; se compromete asimismo a prestar auxilio a cualquier ciudad que se viera amenazada y a defender la labor colectiva en preparación para que «las leyes de estos reinos y lo que se asentare y concertare en estas Cortes y Junta sea perpetua e indudablemente conservado y guardado». No siempre se ha sabido captar el matiz revolucionario que encierra esta frase: significaba sustituir, al menos provisionalmente, la voluntad del soberano por la voluntad colectiva del reino, expresada por sus representantes.

El texto de este juramento fue comunicado de inmediato a las ciudades representadas; el día 2 de octubre fue leído públicamente en la plaza mayor de Valladolid. El 26 de septiembre la Junta da un paso más en la vía revolucionaria; publica un manifiesto en el que, después de las consideraciones habituales sobre los fines del movimiento, se añade una precisión de singular importancia: la Junta de Tordesillas declara asumir sola la responsabilidad del gobierno; el Consejo Real queda desposeído de sus funciones y la Junta se convierte en la única autoridad superior del reino, concentrando todos los poderes del Estado. Unos días después decide expulsar a los miembros del Consejo Real que todavía residen en Valladolid.

Es que, para los comuneros, los del «mal Consejo», como los llaman, aparecen como los símbolos de la corrupción y del desorden que caracterizan el gobierno de Castilla desde 1516. Algunos de ellos se habían aprovechado de su cargo para llenarse los bolsillos, y esto a veces antes de 1516. Éste era el caso de Fonseca, obispo de Burgos, especializado en los asuntos de Indias; de Francisco de Vargas, uno de los hombres más corrompidos de toda la administración cuyos ingresos eran tan elevados como los de todos sus colegas juntos; de Aguirre, expulsado por Cisneros debido a sus malversaciones en los fondos de la Inquisición y reintegrado por los flamencos... Como cuerpo constituido, tampoco puede el Consejo Real escapar a la crítica: le correspondía llamar la atención del rey sobre la situación del país; prefirió adular a Chièvres y a los flamencos y servirles de cómplice. Al salir de España Carlos V había encargado al Consejo asesorar al cardenal Adriano y no sólo se había negado a las concesiones oportunas sino que había recomendado una actitud represiva e intransigente; como tal, le cabía una gran responsabilidad en los acontecimientos que habían llevado al incendio de Medina del Campo.

Ya el 24 de agosto la Junta había ordenado confiscar los bienes de los miembros del Consejo Real y su detención, pero entonces carecía todavía de la fuerza necesaria para imponer estas medidas. A principios de septiembre el Presidente y los más comprometidos abandonan Valladolid. A mediados del mismo mes la Junta muestra cierta impaciencia ante la dualidad que se está creando entre una autoridad que se considera como de derecho —el cardenal Adriano y el Consejo Real— y una autoridad de hecho que pretende a su vez convertirse en la única autoridad de derecho: la Junta. La junta escribe:

Es imposible poderse proveer cosa para el bien de los negocios en que estamos si hay otro Consejo ni manera de gobernación más de lo que el reino tiene concertado y proveído [15].

---

[15] Carta de la Junta a la ciudad de Valladolid, 14 de septiembre de 1520 (Archivo General de Simancas, *Patronato Real*, leg. 4, fol. 59).

El 30 de septiembre tropas comuneras al mando de don Pedro Girón prenden a los pocos miembros del Consejo que todavía residían en Valladolid. Con la eliminación del Consejo Real la Junta tiene las manos libres para organizar la administración a su antojo: los sellos del Estado y los registros oficiales se trasladan a Tordesillas; las rentas reales y los impuestos se cobran en nombre de la Junta; la Junta empieza a nombrar corregidores. Los propósitos anunciados por Toledo en su llamamiento de junio quedan muy atrás; entonces no se hablaba más que de examinar la situación del reino y de redactar la lista de reformas a emprender; ahora la Junta tiende a considerarse como una asamblea deliberante y como un gobierno revolucionario, pero esta transformación inquieta a muchos de los que se han adherido al movimiento sin compartir todas sus intenciones.

VELA DE ARMAS

La situación, que a fines de septiembre es muy favorable a los rebeldes, evoluciona durante el otoño de 1520 por dos motivos: la dinámica interna del movimiento comunero y las iniciativas políticas de Carlos V.

La dinámica interna del movimiento comunero

Es un movimiento que se pretende nacional; quiere unir a todas las capas de la población contra los abusos y promover reformas. En realidad, el movimiento encuentra ecos favorables, pero también se enfrenta con oposiciones. Los comuneros atacan a los altos funcionarios, acusados de haber tolerado abusos y haberse aprovechado de ellos, y también a sus cómplices. Pero ¿quiénes son los cómplices? Poco a poco casi toda la administración se encuentra en postura de acusación o, cuando menos, se sospecha de su complicidad. En las ciudades en las que la comunidad ha triunfado, el corregidor, los regidores, los parientes y los aliados de los regidores son depuestos de sus cargos, acusados, echados; ahora bien, aquellos regidores están escogidos desde mediados del siglo XV entre los caballeros. Paulatinamente toda la categoría social de los caballeros se ve amenazada por la victoria de la comunidad.

Cuando los comuneros denuncian los abusos, piensan ante todo y, sobre todo, en los abusos cometidos por la alta administración, por el gobierno. Pero es difícil impedir que las reivindicaciones se extiendan también a otras causas de descontento. ¿Cómo impedir a todos los que se consideran víctimas, de cualquier forma que sea, protestar y exigir reparación? El 1 de septiembre de 1520 los vasallos del conde de Buendía, en Dueñas, se levantan contra su señor; pretenden eximirse del régimen señorial e incorporarse de nuevo al patrimonio real. Unos días después, los vasallos del condestable de Castilla hacen otro tanto, luego los del conde de Benavente, del duque de Nájera, etc. Un vasto movimiento antiseñorial cunde por toda Castilla la Vieja. Esta agitación sume a los comuneros en la perplejidad; ellos no la deseaban, pero no tienen más remedio que tomar posición: los rebeldes, lo mismo que los señores, envían delegaciones a la Santa Junta. Los unos piden ayuda contra los tiranos; los otros exigen justicia. Pero como los señores están a la defensiva y se consideran amenazados, piensan en defenderse, reclutan soldados, entran en contacto unos con otros. La Junta muestra preocupación ante esta situación; considera que los señores no están autorizados a hacerse justicia ellos mismos;

exige pues que derramen sus gentes y confíen la causa a la Junta. Pero los señores no están dispuestos a que se vulneren sus derechos. La discusión toma un cariz netamente polémico y pronto la situación se presenta como totalmente nueva: el movimiento comunero se ha extendido al campo, pero, en cambio, ha despertado el recelo de la aristocracia terrateniente que, desde entonces, está sobre aviso. Para hacer frente a la subversión que amenaza sus feudos, la nobleza castellana acude a las armas y se aproxima al poder real. Por su parte, la Junta se muestra preocupada ante los preparativos militares de los nobles y reacciona haciendo suyas algunas de las reivindicaciones antiseñoriales. El conflicto toma poco a poco un sesgo nuevo, un enfrentamiento entre los comuneros y algunos grandes señores, sin perder por ello su dimensión primitiva: la lucha contra el poder real.

Las iniciativas de Carlos V

En el mismo tiempo, aconsejado por el cardenal Adriano, Carlos V toma una iniciativa política: renuncia al servicio votado en las Cortes de Santiago-La Coruña y nombra otros dos gobernadores, el condestable y el almirante de Castilla, para que colaboren con el cardenal. Como antes del reinado de Fernando e Isabel, los Grandes participan ahora en el gobierno del reino. En las semanas siguientes, en el otoño de 1520, el cardenal Adriano utiliza con inteligencia la nueva situación así creada: va a convencer a la aristocracia de que sus intereses coinciden con los intereses del rey. Carlos V y los nobles —Grandes o simples caballeros— están desde ahora implicados en la misma causa; el primero quiere conservar las prerrogativas de la corona; los segundos defienden sus privilegios. Con la adhesión de los nobles, el gobierno real, reorganizado en torno al cardenal Adriano en Medina de Rioseco, en el feudo del almirante, puede actuar en dos terrenos:

—Dirigiéndose a las ciudades que todavía están a la expectativa, él insiste sobre la importancia de las concesiones hechas por el rey (abolición del servicio, vuelta a los encabezamientos, nombramiento de dos virreyes castellanos).

—Las ciudades rebeldes, en cambio, se ven amenazadas por una represión armada con el ejército que reconstituyen pacientemente los virreyes-gobernadores.

Ahora bien, mientras el poder real se reorganiza, los comuneros sufren varias derrotas políticas; algunas ciudades importantes se apartan de la Junta.

En primer lugar, los comuneros no pueden impedir que se reorganice el gobierno central. En octubre el cardenal Adriano y los miembros del Consejo Real se instalan en Medina de Rioseco donde tienen toda la facilidad para actuar bajo la protección de las tropas del almirante.

Segunda derrota: los comuneros tenían puestas muchas esperanzas en doña Juana, que sigue siendo teóricamente reina de Castilla. A pesar de varias tentativas y presiones no consiguen que la reina firme ningún documento. El plan que habían concebido se viene abajo: se trataba de instalar un gobierno revolucionario respaldado por la autoridad nominal de la reina, en sustancia de quitarle el trono a Carlos V («el príncipe, nuestro señor») y restablecer las prerrogativas de la reina. En noviembre está claro que la tentativa ha fracasado: la reina se niega a todo compromiso y se revela totalmente incapaz de gobernar.

La actuación de la Junta (destitución del Consejo Real, la voluntad de apoyarse en la reina...) preocupa seriamente a las clases acomodadas de varias ciudades. La ruptura de la coalición comunera se vuelve evidente cuando Burgos se aparta de la Junta y se pasa al bando real. El campo comunero en efecto contaba con bastiones sólidos: Toledo, Segovia, Salamanca; tenía también sus puntos débiles: Burgos y Valladolid, dos ciudades teóricamente adscritas a la rebelión pero que seguían dominadas por grupos sociales que no estaban dispuestos a tomar la vía revolucionaria. El poder real salió triunfante en Burgos, pero fracasó en Valladolid.

En Tordesillas los procuradores de Burgos estaban muy lejos de aprobar todas las iniciativas de la Junta. El desacuerdo estaba menos en las reivindicaciones que se presentaban que en la manera de conseguir que se atendieran, cuestión formal que encubría un debate de fondo: reformas otorgadas o conquistadas por la fuerza. Para los procuradores de Burgos la Junta debía limitarse a examinar la situación del reino y elaborar una lista de reformas dejando al rey o a sus representantes la decisión final y el gobierno del reino. La mayoría de la Junta pensaba de otra manera: ella se consideraba a la vez como asamblea deliberante, y no sólo consultiva, y como el único gobierno de Castilla. A mediados de octubre Burgos expuso otra vez su postura, e insistió en la necesidad de dar marcha atrás: ¿acaso no había obtenido la Junta satisfacción en los puntos esenciales que se había propuesto en un principio? El rey había cedido primero en la cuestión del servicio y de los encabezamientos; acababa de nombrar dos virreyes castellanos; ya no existía ningún motivo sustancial de queja y convenía volver cuanto antes a la normalidad. La Junta respondió justificando su actuación en los meses anteriores y avanzando aún más en la vía de la revolución.

Los comuneros tenían puestas muchas esperanzas en doña Juana, que sigue siendo teóricamente reina de Castilla. Doña Juana la Loca en una plumilla del siglo XIX.

Ciertamente ella se había salido del papel que se había previsto en un principio, pero era porque la situación lo exigía así: no era posible confiar en los culpables —el Consejo Real— para reparar los errores cometidos. En cuanto al nombramiento de los virreyes Carlos V había procedido sin consultar al reino; estos nombramientos eran por tanto inaceptables. Esta discusión aclara la situación: la Junta pretendía ocupar todo el poder; reclamaba para sí incluso el derecho a nombrar los gobernantes.

Avisado de tales divergencias, el condestable de Castilla estimó que era hora de aprovecharlas, dando a Burgos todas las satisfacciones que quería con tal de separarla de la Junta. «Cobrar a Burgos de cualquier manera que sea», esto es lo que escribe al emperador con enorme cinismo: piensa conceder a Burgos todo lo que pide; siempre se podrá más tarde, cuando las cosas hayan vuelto a la normalidad, recuperar parte o todo de lo que se haya concedido. Éste fue el trato que permitió al condestable entrar en Burgos, el 1 de noviembre: otorgó en nombre del rey cuanto se exigía, aunque secretamente decidido a no cumplir ninguna de sus promesas. Los notables burgaleses que pactaron con él («toda la gente principal» de la ciudad, escribe el condestable, fundamentalmente los grandes negociantes de Burgos o sus mandatarios) no eran totalmente ilusos; ellos no buscaban más que una salida honrosa, separarse de la Junta sin dar la impresión de traicionar el movimiento comunero. Ruptura interesante, ya que significa que la gran burguesía de Burgos ha recobrado el control sobre la ciudad. Hasta entonces, los mercaderes no se habían atrevido a enfrentarse con la comunidad local, es decir, la plebe, los demagogos, el populacho. En noviembre la burguesía, apoyada por la gente del condestable, se siente capaz de restablecer el orden.

Los virreyes esperaban que, a ejemplo de Burgos, otras ciudades se apartarían ahora de la Junta. Pensaban sobre todo en Valladolid, donde los sectores moderados de la ciudad no mostraban menor inquietud que los de Burgos ante la actitud cada vez más revolucionaria de la Junta de Tordesillas. Pero en Valladolid las cosas no eran tan fáciles, ya que, a diferencia de Burgos, sus procuradores en la Junta apoyaban todo lo que se decidía en Tordesillas. A principios de octubre Valladolid intentó dar un paso para poner fin a esta contradicción; pretendió revocar los poderes dados a uno de sus procuradores, el más revoltoso, el más ardiente devoto de las ideas revolucionarias, el frenero Alonso de Vera. Los comuneros respondieron de una manera fulminante: para revocar un procurador era preciso consultar al pueblo

[...] y que lo que se hubiere de hacer sea con mucha conformidad de toda la villa, porque de otra manera no podría ser sino recrecerse materia de mucho escándalo y desasosiego[16].

Con este argumento trataba la junta de oponer la masa popular, el común, a unos pocos privilegiados:

La principal cosa con que las cosas de este santo propósito han venido en el estado presente ha sido proveerse lo que convenía en cada ciudad con acuerdo y parecer de la comunidad generalmente, no de particulares, aunque tengan oficio que represente lo general; en todas circunstancias, no hay que dar lugar a que la libertad de los comunes sea suprimida pues en lo de hasta ahora son ellos los a quienes principalmente debe el reino la conservación de sus libertades[17].

El infante de Granada, investido del mando supremo en Valladolid, se creyó en un primer momento bastante fuerte como para resistir a este tipo de presiones, y sus esfuerzos para sustraerse a la influencia política de la Junta eran seguidos con interés por cuantos formaban entonces el partido del emperador. La ciudad de Burgos, sobre todo después de su ruptura con

---

[16] Carta de la Junta a la ciudad de Valladolid, 10 de octubre de 1520 (Archivo General de Simancas, *Patronato Real*, leg. 5, fol. 18).

[17] *Ibid.*

la Junta, lo animaba a seguir adelante en sus intentos; lo mismo hacían el condestable, el almirante y el cardenal Adriano. Pero los comuneros se apoyaron en los elementos más populares de la ciudad y lograron invertir la tendencia. En pocos días, a principios de noviembre, los partidarios incondicionales de la Junta pasaron a ocupar todos los puestos de mando en Valladolid; el infante de Granada y sus secuaces, destituidos, tuvieron que marcharse, dejando el puesto libre a los elementos más radicales. Hasta el final de la guerra civil, como se verá con claridad, Valladolid seguirá siendo el más firme baluarte de la revolución castellana.

Desde finales de verano la relación de fuerzas había variado notablemente. La Junta no gozaba ya de la misma audiencia. Al precisar su programa y su ambición de concentrar todos los poderes del Estado, había provocado la disidencia de Burgos, si bien había conseguido imponer sus métodos y puntos de vista en Valladolid. Lo que había perdido en extensión, lo había ganado en cohesión. Libre ya de cualquier oposición interna, la Junta podía concentrar toda su energía contra sus enemigos. El poder real, por su parte, había hecho serios progresos. El cardenal Adriano compartía ahora su responsabilidad con dos representantes de la alta nobleza y el condestable había conseguido que Burgos se separara de la Junta. Los grandes señores, por fin, estaban ya dispuestos a tomar partido en el conflicto que enfrentaba el poder real y las ciudades.

Durante todo el mes de noviembre el almirante de Castilla intenta convencer a los comuneros de que han perdido la batalla y que no les queda más remedio que entregarse si no quieren sufrir las consecuencias de una represión armada. Los dos bandos tienen tropas, pero dudan en abrir las hostilidades. Cada uno espera confusamente impresionar al otro. Lo más urgente para los virreyes era, primero, encontrar el modo adecuado de defenderse para, después, pasar al ataque. Ante todo, tenían que organizar un ejército, pues las escasas tropas con que contaba el poder real habían sido licenciadas después del incendio de Medina del Campo. A fin de cuentas no se trataba más que de un problema de fondos: para reclutar soldados era necesario dinero para pagarlos. En efecto, el hundimiento del poder real no se manifestó sólo en el plano político: el dinero comenzó a dejar de circular; los comuneros se apoderaban de los impuestos, los banqueros se resistían a adelantar fondos, incluso a intereses elevados. Ahora bien, el cardenal Adriano calculaba en más de mil ducados diarios la cantidad necesaria para cubrir los gastos indispensables del ejército y atender al funcionamiento de los servicios públicos esenciales.

Fue la ayuda financiera de Portugal la que salvó de la catástrofe al poder real. Esta ayuda no se concretó hasta diciembre, pero el acuerdo con el vecino país restableció la confianza, y ayudó a crear incluso un nuevo clima en Castilla. Por otra parte, y estimulados también por la reorganización del gobierno, por su voluntad de luchar, y por los primeros éxitos conseguidos (alineamiento de Burgos junto al poder real), los banqueros y particulares comenzaron a adelantar fondos a partir del mes de octubre. Entre los prestamistas se hallan grandes señores: el duque de Béjar, los marqueses de Villena y de Tarifa, el conde de Ayamonte, etc., así como comerciantes burgaleses: Jerónimo de Castro, Francisco de Salamanca, Pedro Orense... De este modo se revela una de las claves de la crisis de 1520: la corona pudo superar la revuelta de las ciudades gracias a la alianza con dos grupos sociales, la alta nobleza y el gran comercio. No debemos olvidarlo a la hora de intentar una interpretación de conjunto del movimiento comunero. Poco a poco la situación fue haciéndose menos crítica para los virreyes; no llegaría a ser nunca excelente, ni tan siquiera simplemente satisfactoria. Hasta el final de la rebelión el poder real tuvo que hacer frente a sus problemas financieros, solicitar empréstitos y recurrir a diversos expedientes, pero en otoño la catástrofe había sido evitada. Así pues, el poder real, amenazado de asfixia, debió su salvación a la ayuda financiera de Portugal, de la alta nobleza y del gran comercio.

Carlos V, en efecto, encontró unos aliados de los que hasta aquel momento había carecido. Con su intervención, la alta nobleza modificó la naturaleza del problema. Lo que la impulsó a salir de su inactividad no fue el deseo de salvar al poder real, sino la preocupación de conservar sus propios privilegios sociales, hecho que habría de pesar hasta el término de la guerra civil e incluso después. La nobleza de Castilla proporcionó los contingentes más numerosos y las fuerzas de choque. Muchos señores se situaron personalmente al frente de sus hombres y acudieron a ponerse a disposición del condestable y del cardenal Adriano. Los condes de Benavente y de Altamira y el marqués de Astorga fueron los primeros en llegar a Medina de Rioseco, seguidos por el conde de Miranda. Hay que tomar, por tanto, las palabras de los cronistas al pie de la letra cuando hablan del ejército de los caballeros. Era ciertamente el ejército de la nobleza el que se disponía a entrar en batalla. ¿Para defender el poder real o sus privilegios de casta? Al alargarse, el conflicto había cambiado de significación.

Los preparativos militares de los virreyes no dejaron indiferentes a los comuneros. También ellos se pusieron a la tarea de organizar un ejército poderoso que pudiera hacer frente al de sus adversarios. Durante los meses de octubre y noviembre de 1520 los dos bandos desplegaron una intensa actividad, recogiendo fondos, reclutando soldados y organizándolos.

El conflicto, que en principio se había planteado en un plano político, comenzó a adquirir aspectos militares cada vez más acusados. No sólo los virreyes tenían que resolver problemas financieros, pues también los comuneros sentían preocupación por la cuestión económica. Durante el verano algunas de las ciudades rebeldes habían organizado sus milicias. Estas tropas, poco numerosas y mal equipadas, estaban destinadas ante todo a asegurar el éxito de la revolución en el plano local. En principio, debían permanecer acantonadas en las ciudades. Sin embargo, ya habían tenido que acudir en ayuda de Segovia. De Toledo habían salido los mayores efectivos y fue el jefe de la milicia toledana, Juan de Padilla, quien se había puesto al frente de este pequeño ejército. Se pensaba entonces en una rápida campaña que permitiera enviar a los soldados a sus casas lo antes posible. Después del incendio de Medina del Campo se encargó a estas milicias la misión de ocupar Tordesillas y luego la seguridad de la Junta. Poco a poco estas tropas fueron convirtiéndose en un ejército de carácter permanente.

Los productos de los impuestos y las imposiciones extraordinarias aseguraron a los comuneros el dinero necesario para equipar su ejército. Una nota pintoresca en aquel ejército lo constituía el batallón de sacerdotes de la diócesis de Zamora, capitaneado por el obispo don Antonio de Acuña. En total eran unos 300 los sacerdotes que se dirigieron a Tordesillas, fuertemente armados. Para compensar esta movilización parcial del clero, Acuña autorizó a los párrocos que habían permanecido en la diócesis a decir tres misas o más en caso necesario. A estos sacerdotes soldados se les confiaron misiones en la retaguardia: formaron el grueso de la guarnición de Tordesillas, encargada de velar por la reina y la Junta. El obispo, sin embargo, no bromeaba con la disciplina. ¡Ay de aquellos a los que sorprendiera leyendo el breviario!

El reclutamiento que se prolongó hasta finales de noviembre modificó sensiblemente la fisonomía del ejército rebelde. Las milicias urbanas aportaron el grueso de los efectivos, pero la cuña de lanza de esta tropa estaba formada ahora por unos soldados mercenarios, veteranos de la expedición de los Gelves (1519), que don Pedro Girón supo convencer de ponerse al servicio de la Junta, y por el importante parque de artillería de Medina del Campo. Las compras de armas en el País Vasco y en Castilla completaron el armamento militar.

No sólo la composición del ejército rebelde había variado; también los cuadros de mando exigían una reestructuración. Hasta entonces, Padilla tenía autoridad sobre todas las tropas puestas a disposición de la Junta. En principio, no había razón alguna por la que no pudiera seguir al frente del nuevo ejército. Pero Toledo ya no ocupaba el papel preponderante en el seno de la Junta y dos nuevas figuras comenzaban a destacar de manera decisiva en los organismos revolucionarios: don Pedro Girón y el obispo de Zamora, don Antonio de Acuña. Ambos aspiraban a pasar al primer plano y muy pronto rivalizaron con Padilla.

Acuña era un resentido y no dejó escapar la ocasión que se le presentó con motivo de la revuelta comunera. Consiguió que Zamora se uniera a la Junta y expulsó al conde de Alba de Liste de la ciudad, poniéndose a la entera disposición de los miembros de la Comunidad. Contaba entonces con más de 60 años, pero no aparentaba su edad: «En el brío y las fuerzas, como si fuera de 25, era un Roldán», escribe Sandoval. En noviembre se hallaba lo suficientemente comprometido como para que el cardenal Adriano solicitara y obtuviera del Papa un breve condenando sus actividades.

También don Pedro Girón se había visto impulsado por el rencor a ingresar en las filas del movimiento. Aspiraba a la sucesión del rico ducado de Medina Sidonia, pero Carlos V se negó a entregárselo. Desde el mes de septiembre comenzó a asistir de manera regular a las sesiones de la Comunidad de Valladolid. Prestó su colaboración a Padilla con ocasión de la expulsión de los miembros del Consejo Real. Era el único miembro de la alta nobleza que apoyaba a la Junta. Fue esta circunstancia, sin duda, la que decidió a sus miembros a designarle como capitán general del ejército rebelde. Su presencia al frente del ejército daría prestigio a la rebelión que sus enemigos presentaban a veces como fruto de la acción de un conjunto de plebeyos. Además, este nombramiento podía impresionar favorablemente a los grandes señores que todavía no habían tomado partido. Parecía significar que los comuneros no eran totalmente hostiles a la aristocracia. Padilla marchó despechado a Toledo con sus hombres. La Junta le instó para que regresara, pero en vano. Padilla prefirió ocuparse en extender la zona de influencia de la Comunidad en la región de Toledo. Pareció desinteresarse de cuanto ocurría al norte del Guadarrama y no habría de volver a intervenir activamente en la lucha sino después de que Girón desapareciese de la escena.

Podemos convenir en que la Junta salió perdiendo al sustituir a Padilla por Girón como jefe militar. Cierto que se había conseguido la adhesión de un gran señor, pero en circunstancias dudosas y al precio de defecciones y divisiones que no hicieron sino debilitar profundamente el movimiento. Padilla, comunero convencido desde un principio, había conseguido una gran popularidad y prestigio entre sus hombres y a los ojos de la población. Al desaparecer provisionalmente de la escena, se eclipsó también la influencia de Toledo en la revolución. Toledo había tomado la iniciativa en la rebelión, la había animado y había proporcionado los contingentes armados hasta entonces. En noviembre Valladolid tomó el relevo convirtiéndose en el centro motor de la revolución.

LA BATALLA DE TORDESILLAS

En noviembre los señores se hallaban divididos en cuanto a la táctica que debían seguir. Ciertamente, ya no podían elegir: debían hacer frente a la subversión que había penetrado en sus propios feudos; sus intereses de casta coincidían con los del poder real. Pero los unos pensaban que había que pasar en seguida al ataque y vencer a los comuneros inmediatamente. El condestable era su representante. Los demás, agrupados en torno al almirante, preferían agotar todos los medios de negociación, antes de iniciar la lucha armada. Esta vía de conciliación no la adoptaban por convicción sino porque la consideraban interesante para su beneficio, por dos razones:

—Una solución pacífica y negociada les permitiría salvar sus feudos. Temían que si el conflicto se prolongaba y degeneraba en una guerra civil, la subversión pudiera alcanzar sus propios dominios.

—Un acuerdo negociado conseguido gracias a su intervención haría de estos señores los árbitros de las diferencias entre la corona y las ciudades. La aristocracia recuperaría entonces todo el poder político perdido desde el advenimiento al trono de los Reyes Católicos.

Pero las negociaciones entre comuneros y virreyes fueron totalmente negativas. Ambos bandos ya habían conseguido organizar un ejército y abrigaban la esperanza de destrozar al enemigo en el campo de batalla. Ciertamente, esta perspectiva no podía facilitar una solución de compromiso. A finales de noviembre, cuando ya todas las tentativas de llegar a una solución negociada habían fracasado, los dos ejércitos se encontraban frente a frente, entre Medina de Rioseco y Tordesillas. Parecía imposible ya poder evitar la guerra civil. Tras unas últimas escaramuzas, los adversarios se decidieron a entablar el combate. Era la primera gran batalla de la Guerra de las Comunidades.

Don Pedro Girón, capitán general del ejército comunero, siguiendo instrucciones de la Junta, había avanzado con su ejército, a finales de noviembre, hacia Medina de Rioseco, estableciendo su cuartel general en Villabrájima, una pequeña aldea situada al suroeste de la ciudad. Ambos ejércitos se hallaban sólo a una legua de distancia uno de otro. El cardenal Adriano consideraba que el enfrentamiento era inevitable. Pero los Grandes no respondieron a las provocaciones de los comuneros. Se limitaron a ocupar diversos pueblos a fin de cortar las líneas de comunicación del enemigo. Ellos consideraban excesivamente arriesgado intentar un ataque por cuanto el enemigo se hallaba sólidamente atrincherado en Villabrájima. Preferían esperar mejor oportunidad y hostigar entre tanto al enemigo llevando a cabo golpes de mano contra su retaguardia. En realidad, los Grandes no deseaban luchar: «Falta la determinación» del pelear, le escribía al emperador uno de sus mensajeros.

Ni el condestable ni el almirante parecían deseosos de tomar las armas, poniendo como pretexto consideraciones tácticas, tras las cuales existían motivos menos confesables. El almirante, por ejemplo, no deseaba entablar batalla en su propio feudo, en los ricos ribazos y en la llanura de Rioseco. Todos dudaban en dar el paso que les convertiría en enemigos irrecon-

ciliables de las ciudades. El ver sus propios dominios amenazados por la subversión había sido la razón que les impulsara a
tomar las armas; pero ¿no corrían el peligro de provocar una
reacción antiseñorial todavía más fuerte si llegaban a cruzar las
armas con las Comunidades? La situación actual les parecía en
definitiva mucho más cómoda. Poseían tropas, y por tanto tenían los medios para defenderse en caso de ser atacados. De este
modo ya constituían una amenaza para el enemigo. ¿Entonces
por qué debían ir más lejos? ¿Por qué forzar la situación y arriesgarse a perderlo todo?

Estas consideraciones en las que gravitaba un egoísmo de
clase apenas disimulado exasperaban e indignaban al cardenal
Adriano, quien se enzarzó en violentas discusiones con el almirante y los demás Grandes reunidos en Rioseco. El cardenal
denunció duramente esta actitud que dejaba en el olvido los
intereses del Estado. El rey —argumentaba el cardenal— no
podía mantener indefinidamente un ejército que le costaba más
de 1.500 ducados diarios. En consecuencia, había que poner fin
a la rebelión en el más breve plazo posible. Y además, los nobles
—seguía diciendo el cardenal— se preocupaban ante todo de
sus intereses particulares. Lo que deseaban era defender sus
posesiones con las tropas y el dinero del Estado. Heridos en lo
más profundo, sus interlocutores respondieron con la misma
dureza. Uno de ellos dijo con cinismo: «Buena cosa es que no
perdamos nuestras cabezas para que Su Majestad ahorre dineros.»

El enfrentamiento fue haciéndose cada vez más violento. El
cardenal acusó después a los nobles de pretender alargar esta
situación a propósito para que su concurso se hiciera indispen-
sable. El levantamiento comunero les había ofrecido la oportunidad de intervenir activamente en la vida política puesto que

el rey necesitaba su colaboración para aplastar la insurrección. Ellos lo sabían, como también sabían que una vez desaparecido el peligro el rey les despediría sin volver a ocuparse de ellos. Por ello pretendían alargar el conflicto con el fin de obtener los máximos beneficios de la situación:

Otros sospechan y lo dicen a la clara que buscan [los Grandes] que perpetuamente dure esta guerra para que Vuestra Majestad tenga necesidad de los servicios de ellos[18].

Frase clarificadora y que prefigura el modo con que, en nuestros días, ha calificado Manuel Azaña la actitud de la alta nobleza en el curso de la Guerra de las Comunidades:

Al brazo militar, o sea a los Grandes y caballeros, les importaba que el César venciese, que no venciese demasiado y que no venciese en seguida[19].

El cardenal Adriano, profundamente afectado por todos los sórdidos cálculos de los nobles, estuvo a punto de presentar su dimisión cuando un acontecimiento inesperado modificó los planes de los militares. La tarde del 2 de diciembre se observaron movimientos de tropas en el bando comunero; el ejército de la Junta estaba abandonando sus posiciones de Villabrájima. Ante la sorpresa general, el 3 de diciembre, el ejército de la Junta, tras abandonar definitivamente Villabrájima, se dirigió hacia el oeste, en dirección a Villalpando, ciudad del condesta-

---

18 Carta del cardenal Adriano, 28 de noviembre de 1520 (Archivo General de Simancas, *Patronato Real,* leg. 2, fol. 1).

19 M. Azaña, *Plumas y Palabras,* Compañía Iberoamericana de Publicaciones, Madrid-Barcelona-Buenos Aires, 1930, p. 59.

ble, que atacaron los comuneros y que se rindió sin resistencia. La primera reacción de los señores fue dirigir su ejército a Castroverde a fin de liberar Villalpando, pero en seguida recapacitaron. Las exhortaciones del cardenal Adriano habían dado sus frutos. ¿Iban a hacer prevalecer una vez más sus intereses particulares sobre los del Estado? En efecto, la ocasión les era sumamente propicia para apoderarse de Tordesillas, ya que, al dirigirse hacia el oeste, Girón había dejado libre la ruta del sur, la ruta de Tordesillas. El día 4 se puso en marcha el ejército de la nobleza y ocupó casi sin resistencia las posiciones abandonadas el día anterior por los comuneros. La guarnición de Tordesillas, desbordada por un enemigo superior en número, esperó en vano la llegada de refuerzos. La ciudad cayó el 5 de diciembre de 1520.

La toma de Tordesillas da fe de los cambios que se habían producido en Castilla desde agosto. El poder real, aislado, sin autoridad, sin dinero y sin ejército, fue, sin embargo, reconstruyéndose lentamente. El nombramiento de dos nuevos virreyes, elegidos entre los Grandes, las inquietudes de la alta nobleza, amenazada también, y el apoyo diplomático y financiero de Portugal permitieron resolver una situación que parecía desesperada. Esto explica la toma de Tordesillas, que significa una seria derrota para los comuneros: pierden una baza importante, la reina, a la que esperaban convencer algún día de recobrar al menos de una manera teórica sus prerrogativas, lo cual les hubiera permitido gobernar en su nombre y hubiera dado a la Junta cierto carácter legal; al cardenal Adriano y a Carlos V no se les ocultaba el peligro. Además, muchos procuradores de la Junta han quedado prisioneros en manos de las tropas reales; los demás se han ido a sus casas. En el campo comunero los ánimos están muy afectados; no entienden por qué las tropas de

Tordesillas se han dejado sorprender, por qué el ejército comunero no ha salido en defensa de aquellas tropas. Don Pedro Girón, muy afectado por las críticas e incluso acusado por ciertos sectores de traicionar la causa, se ve obligado a retirarse y a apartarse del conflicto.

Sin embargo, el 5 de diciembre el poder real no había ganado definitivamente la partida ni mucho menos. El ejército rebelde, desmoralizado por la derrota y por la dimisión de su jefe, estaba intacto. La Junta había perdido un factor capital: ya no podría ampararse en la autoridad de la reina, pero en el período transcurrido entre septiembre y diciembre había adquirido un prestigio y una cohesión que la compensaban ampliamente de los fracasos sufridos. Burgos se había pasado de bando, pero Valladolid se había convertido en un sólido bastión de los intereses comuneros. La unanimidad aparente de los primeros momentos dio paso a una determinación, una energía y un rigor revolucionarios más importantes. Las discusiones con Burgos, Valladolid y el almirante habían permitido a los responsables comuneros precisar sus ideas, su programa y su doctrina. En diciembre el movimiento de las Comunidades era plenamente consciente de sus verdaderas aspiraciones. Por otra parte, las revueltas antiseñoriales, que la Junta no había querido desautorizar, habían cambiado los datos del problema: la revolución, que en principio era meramente política, provocaba ahora reivindicaciones sociales que cuestionaban las estructuras heredadas del pasado. La alta nobleza y el gran comercio burgalés las experimentaron en sus carnes. Ya no se trataba sólo de un conflicto entre las ciudades y el poder real, sino de un enfrentamiento mucho más general que amenazaba con conmocionar el equilibrio político, económico y social de la nación.

Capítulos de lo que ordenaban de pedir los de la Junta

Sucesión. *La primera [condición] que después dél no pueda suceder muger ninguna en el reino: pero que no habiendo hijos, que puedan suceder hijos e hijas é de nietas siendo nacidos é bautizados en Castilla; pero que no puedan suceder sino fueren nacidos en Castilla.*

Consejo. *La otra que en el Consejo haya de haber tantos oidores como obispados hay en estos reino de Castilla, en esta manera: que en cada uno obispado elijan tres letrados de ciencia é conciencia é de edad de cada cuarenta años, é quel Rey ó su Gobernador escoja el uno dellos é queste sea oidor por aquel obispado toda su vida; é cuando este fallesciere elijan otros tres por la misma manera: é que de esta forma elija cada un obispado uno, y questos sean los oidores del Consejo, é quel Rey no pueda poner otros, ni quitar estos, ni pueda impedir ni suspender las sentencias ni mandamientos questos dieren.*

Procuradores. *La otra con que cada cuando se hubieren de hacer Cortes, los logares realengos de cada un obispado é arzobispado elijan dos procuradores que vayan á las Córtes, el uno de los hidalgos y el otro de los labradores, é questos no puedan haber merced ninguna ni el Rey gela pueda dar, é que de cada uno de los obispados elijan un clérigo para que vaya á las Córtes, é de los caballeros elijan dos caballeros, é de los órdenes de los oservantes dos frayles, el uno francisco y el otro dominico, é que de los obispados del reino de Galicia no haya más de dos procuradores porque son pequeños: é que si alguno se quejare del Rey en Cortes, que le sea fecha justicia antes que se acaben las...*

Gobernador. *La otra con que si el Rey fuere mentecato, ó se ausentare del reino, que los procuradores de Cortes é los del Consejo se junten en Cortes y elijan un Gobernador del estado de los caballeros, y este é los del Consejo gobiernen el reino é provean de tutor é curador al menor ó mentecato, é de oficiales de su casa, é questos puedan amoverse, quitar á los tutores, é curadores é oficiales cada é cuando les pareciere, é poner otros.*

Justicia. *Lo otro á condición quel Rey no pueda poner Corregidor en ningún logar, sino que cada ciudad é villa elijan el primero día del año tres personas de los hidalgos é otras tres de los labradores, é quel Rey ó su Gobernador escojan el uno de los tres hidalgos y el otro de los labradores, é questos dos que escojeren sean alcaldes de cevil é criminal por tres años, é pasados los tres años otros por la misma vía, é que los del Consejo invien un juez á que tome residencia á los alcaldes, é quel juez que gela fuere á tomar, no tome las varas á los alcaldes, que hubieren sacado ni conozca de causa ninguna sino sólo de las causas de residencia, é cuando se elijeren los alcaldes, elijan alguaciles para cada un logar, y en el logar más principal de cada un obispado elijan dos personas llanas é abonadas en todo el tiempo de los tres años porque se elijen los alcaldes, é que el Rey pueda poner en cada un obispado un Gobernador para que gobierne la tierra é tenga cargo de castigar los crímenes, é maleficios é fuerzas, y queste no conozca en lo civil sino en grado de apelación y en los casos de Cortes.*

Oficios. *Lo otro á condición que los oficios de regimientos, veinticuatrías, juraderías, escribanías, alguaciladgos é otros oficios se hayan de dar cuando vacaren á los nacidos é bautizados en los mismos logares á donde vacaren los tales oficios ó en sus aldeas, é que no se puedan dará otras personas.*

Beneficios. *Lo otro á condición que los beneficios, é dignidades, é abadías, prioradgos, obispados, é arzobispados é fortalezas se hayan de dar é den cuando vacaren á personas que sean nacidos é bautizados dentro de los límites de los obispados é arzobispados donde vacaren, é que no se puedan dar á otras personas; pero si el Rey tuviere fijos ó nietos ó hermanos, que los pueda proveer á donde él quisiere con tanto que sean nacidos é bautizados en estos reinos de Castilla.*

Encomiendas. *Lo otro á condición que los maestradgos y encomiendas é prioradgo de San Juan se hayan de dar á personas que sean nacidos é bautizados en Castilla, é que no se puedan dar á otras per-sonas.*

Oficio Real. *Lo otro á condición que los oficios de la casa Real se hayan de dar á personas que sean nascidos é bautizados en Castilla, é quel Rey no pueda servirse durante estuviere en Castilla sino de personas que sean nacidos en Castilla.*

Un oficio. *Lo otro á condición que á ninguna persona pueda ser dado sino un oficio, ó un beneficio, ó una dignidad ó una encomienda, agora sea oficio de la casa Real, ó del Consejo, ó de ciudad, ó villa ó una fortaleza, é que si a alguno le fueren dados más de uno é lo acetare, que los pierda ambos é quede inhábile para haber otros, é quel Rey no lo pueda habilitar.*

Edades. *Lo otro á condición que los que hubieren de ser elegidos para alcaldes ó regidores de los logares hayan de ser á lo menos de edad de cada treinta años, é los del Consejo de cuarenta porque tengan alguna experiencia.*

Encabezamiento. *Lo otro á condición que las rentas Reales queden por encabezamiento en los pueblos en los prescios en que*

estaban al tiempo que la Reina Doña Isabel murió é que no se pue-
dan pujar mas é nu... ques ó fuere no pueda agora ni en ningunt
tiempo echar servi... al reino.

Moneda. *Lo otro á condición quel Rey no pueda sacar*
ni dar licencia para que se saque moneda ninguna del reino, ni
pasta de oro ni de plata, é que en Castilla no pueda andar
ni valer moneda ninguna de vellón sino fuere fundida é marca-
da en el reino.

Saca de pan é de carne. *Lo otro á condicion quel Rey no*
pueda dar licencia para que se saque pan ni carne fuera del reino
sin que la saca sea otorgada por Cortes con información de como no
es menester en el reino, é que cuando alguna vez se diere, quel que
lo sacare pague de cada hanega de pan un real de derechos, é de
cada res menor de ganado un real, é de cada res mayor ocho reales,
é questos sean para á la guerra de los moros ó redencion de cautivos
demás de los derechos Reales, é quel Rey no pueda tomar cosa algu-
na dellos.

Enagenación. *Lo otro á condición quel Rey no pueda enage-*
nar ningunas ciudades, villas ni logares, ni las rentas dellos de los
que hoy son de la corona Real ni de los que aquí adelante se redu-
cieren á la corona por confiscación ó en otra manera, ni los pueda
vender, ni empeñar, ni dar, cambiar ni trocar, ni pueda vender ni
empeñar ninguna de sus rentas é derechos ordinarios ni extraordi-
narios ni parte dellos, é que si lo hiciese que no valía ni sea obede-
cido ni complido lo que sobre ello mandare.

Restitucion. *Lo otro á condición quel Rey restituya á las ciu-*
dades é villas todos los términos, é montes, é dehesas é logares que
los Reyes pasados les han tomado para dar á personas particulares,
é que si no lo hiciere que las ciudades é villas se los puedan tomar

por su autoridad é ayudarse unas á otras para ello é quel Rey no gelo pueda vedar ni estorbar.

Armas. *Lo otro á condición que todos puedan traer las armas que quisieren ofensivas é defensivas, é que ninguna justicia gelas pueda tomar ni vedar que no las trayan, é que todos sean obligados á tener armas en esta manera: que cada un vecino de los del menor estado sea obligado á tener una espada, é un puñal, é un casquete, é una lanza é un pavés ó una rodela: entiéndase ser del menor estado el que no tiene cinquenta mil maravedís de hacienda. E los del mediano estado que sean obligados á tener cada uno una espada, é un puñal, é un casquete, é una pica é un coselete ó unas corazas é una rodela: entiéndase ser del mediano estado el que tuviere más de cinquenta mil maravedís de hacienda é no pasare de doscientos mil... Y los del mayor estado que sean obligados á tener cada uno dos espadas é dos puñales par asir á un mozo, é una pica, é una alabarda, é una rodela é un coselete entero con su celada y gorjal é falda: entiéndese ser del mayor estado el que tuviere de hacienda más de doscientos mil maravedís: é por questo se guarde mejor, que los alcaldes é regidores de cada un logar hagan hacer cada un año el día de Santiago alarde á todos los vecinos, é que cada un vecino salga á la alarde con sus armas, é quel que no las sacare todas, que pague de pena si fuere del menor estado trescientos maravedís, é si del mediano seiscientos, é si del mayor mil maravedís, é questa pena gela esecuten luego é no gela puedan perdonar é sea para los muros del logar, é que demás desto los alcaldes é regidores les compren las armas que les faltaren é gelas den é gelas hagan pagar.*

Posadas. *Lo otro á condición que los pueblos no sean obligados á dar posadas francas al Rey ni á sus gentes más de tres días, é que pasados los tres días todos paguen las posadas como las pagan en Aragón; pero que en cada logar donde el Rey estoviere le dé el pueblo diez posadas... de su casa, é á cada uno de los del Consejo una para á su p... los otros las paguen.*

Caballos. *Lo otro á condición que todos los que mantovieren continuamente armas é caballo sean libres é no pechen en otras cosas salvo en las que contribuyen los hijosdalgo, é quel que desto quisiere gozar, se escriba por tal é salga cada año á la alarde con sus armas é caballo é jure lo que tiene continuamente, é ques suyo é lo tiene á su costa, é sea tal el caballo que valga cinco mil maravedís, é que si se le muriere que dentro de cuatro meses compre otro.*

Revocación de oficios. *Quel Rey revoque é quite todos los oficios, é beneficios, é dignidades, y encomiendas é fortalezas questán dados á las personas que no son nascidos é bautizados en el reino, é las dé á los naturales é nascidos é bautizados en el reino, é las dé á los naturales é nascidos en los reinos, é que no dé fortaleza ninguna á ningún gran Señor sino á personas que ellos por sí estén en ellas en personas, ni dé capitanía á ninguno que por su persona no la sirviere.*

Ordinación de gente. *Lo otro á condición que en cada un obispado se haga un libro en que se asienten todas las ciudades, villas é logares, fortalezas é rentas quel Rey tiene en aquel obispado, é que asienten los vecinos que cada un logar tiene, é los que tienen sus aldeas, é cuantos dellos son hidalgos é cuantos pecheros, é lo que renta cada un logar, é se nombren dos personas que resciban las rentas de todo el obispado, é que toda la renta se haga cuatro partes, é la una cuarta parte se dé al Rey para el gasto de su casa y estado, é que las otras tres partes las tengan en sí los que recaudaren las rentas, é se nombren tantos hidalgos de los del obispado para la guerra cuanto bastaren las rentas para pagar á cada uno dellos diez mil maravedís cada un año, é questos que fueren nombrados sean paga-*

*dos á diez mil maravedís por año en todo el tiempo que estovieren
en la guerra, é que en el tiempo que estovieren en sus casas no les
den más de á tres mil maravedís por año, é que todo lo que queda-
re en poder de los recaudadores é pagadores del tiempo en que la
gente no estuviere en la guerra, que se guarde é lo resciban é tomen
la cuenta dello cada un año las justicias é regidores de los logares do
fueren nombrados y estovieren los que hubieren de rescibir é recaudar las rentas.*

Gente de guerra. *E lo que se alcanzare se eche en un arca de
tres llaves é se guarde para cuando hubiere necesidad de guerra, é
que las llaves tengan la una los alcaldes, é la otra los regidores, é la
otra una persona cual el pueblo nombrare. E que cuando se nombraren los hijosdalgo para la guerra, se nombren otros tantos de los
labradores é pecheros para la guerra, é questos que se nombraren no
pechen en otras cosas salvo en aquellas en que pagan los hidalgos: é
que cuando éstos fueren á la guerra les den é paguen á razón de diez
mil por año. E que cada é cuando alguno destos que se nombraren
para la guerra muriere sea hidalgo ó pechero, se nombre otro en su
lugar porquel número esté todo tiempo entero.*

Guerra. *Lo otro á condición que cada é cuando el Rey quisiere hacer guerra llame á Cortes á los procuradores, é á ellos é á los
del Consejo diga la causa de la guerra para que ellos vean si es justa
ó voluntaria. E si fuere justa é contra moros, vean la gente que para
ella es menester é tomen las cuentas de las rentas, é sepan si hay de
que pagarla é provean lo que fuere menester para ello segunt la
necesidad de la guerra é del tiempo, é que sin su voluntad destos no
pueda el Rey hacer guerra ninguna.*

Bulas. *Que las bulas se prediquen sin suspensión de otras, é
que lo que dellas se hubiere se gaste en guerra de moros... sa ningu-*

na, é que los procuradores de Cortes nombren personas... Que en Toledo esté un... ten las copias de todos los libros de los logares é rentas de los obispados, é todas las copias de las rentas ordinarias y extraordinarias que el Rey tiene, é que se asiente en él todo lo que se reduciere á la corona, é que después de asentado en él no pueda el Rey darlo, ni venderlo, ni empeñarlo, ni trocarlo ni cambiarlo, é si lo hiciere que no vala ni sea obedescido ni cumplido lo que sobre ello mandare porquesto es la conservación de la Corona Real.

Juramento. Que cada é cuando alguno hubiere de suceder en el reino, antes que sea rescibido por Rey, jure de cumplir é guardar todos estos capítulos é confiese que rescibe el reino con estas condiciones, é que si fuere contra ellas que los del reino gelo puedan contradecir é defender sin caer por ello en pena de aleve ni traición, é que ningunt alcaide le entregue fortaleza ninguna sin que le muestre por testimonio como ha jurado estas condiciones ante los procuradores del reino é sin que uno de los mismos procuradores vaya é gelo diga en persona como lo ha jurado. E que ansí mismo jure de guardar á todas las ciudades é villas de la corona todos sus previllegios que tienen é que los jure antes que sea rescibido por Rey [20].

---

[20] *Colección de documentos inéditos para la historia de España,* tomo I, Madrid, 1846, pp. 272-284.

Provisión de la Santa Junta a la comunidad de Valladolid
(26-IX-1520)

Muy magníficos señores.

Como a todos sea notorio que la raíz y principio de donde han manado todos los males y daños que estos reinos han recibido ha sido la falta de salud de la reina nuestra señora, la cual y la tierna edad del rey nuestro señor, su hijo, dieron causa y lugar a que, metidos extranjeros en la gobernación de los dichos reinos, tan sin piedad fuesen despojados y tiranizados dellos en tanto deservicio de sus majestades y daño particular y general de todos, acordamos los procuradores del reino que para el remedio de los dichos daños, mediante la gracia divina, estamos juntos, que la primera y más justa jornada que podíamos y debíamos hacer era ir a la villa de Tordesillas a presentarnos ante nuestra reina y señora para dos cosas: la una, para que la junta se haga en su palacio real, presentándole aquel acatamiento y obediencia que a su real persona se debe, y a le dar toda la cuenta que de los dichos daños y de lo que para el remedio de ellos se tratare su alteza será servida de recibir.

La otra causa es para procurar por todos los medios a nosotros la salud de su alteza, en que tenemos por cierto que está el remedio de los trabajos presentes, para lo cual enviamos a llamar a todos los más famosos y excelentes médicos de estos reinos y, para esto mejor y más libremente poner en obra, pareciónos cosa conveniente la ausencia de esta villa por el presente de los señores marqués y marquesa de Denia, creyendo y aun conociendo de ellos que, pues tan poco se ocuparon de procurar la salud de su alteza el tiempo que tuvieron cargo de la gobernación de su real persona y casa, que no nos serían buenos ayudadores en este propósito.

Y porque los remedios que por vía humana se podrían buscar para cosa tan grande no aprovecharían para más de para mostrar nuestra diligencia y fidelidad si principalmente no recurriésemos al verdadero remedio que es Dios, habiéndolo primero comunicado con personas religiosas de santa vida, ordenamos que generalmente en todas las ciudades y villas de estos reinos se hagan solemnes y devotas procesiones y plegarias por la dicha salud de su alteza, hacémoslo saber a vuestras mercedes para que allí provean como se haga lo mismo.

Asimismo hacemos saber a vuestras mercedes que, viendo que el efecto para que aquí nos juntamos era reparar los males hechos en el reino y resistir los que cada día se aparejan de nuevo no se podía conseguir estando el poder y fuerzas en manos de los mismos autores y fabricadores de los dichos males, que son los que hasta aquí han estado en el Consejo Real, *los cuales, no arrepentidos de lo hecho, siguiendo la natura del demonio, entendían ahora de nuevo con todas sus fuerzas en aparejarse, así de gente de armas como de ayudas de grandes para llevar adelante su diabólico propósito, acordamos, habiendo sobre ello muchos días platicado y deliberado, que era necesario sobreser el autoridad de los susodichos, pues era poderío de tinieblas, hasta tanto que,* con acuerdo de estos reinos, *sus majestades determinen sus culpas y provean de consejo y gobernador y gobernadores conforme a la ley de los reinos, lo cual así se hizo por un requerimiento que por nuestro mandado se les notificó en la noble villa de Valladolid.*

Hacémoslo saber a vuestras mercedes para que de aquí adelante, si por ellos les fuese enviada provisión y mandamiento, no lo obedezcan, antes todas las fuerzas y agravios de que solía conocer el dicho Consejo vengan ante nos, donde se les hará entero cumplimiento de justicia y lo manden así vuestras mercedes pregonar en la ciudad y su tierra.

Asimismo, porque los poderes que las ciudades trajeron a esta dicha junta son diferentes y sobre esto cada día ocurren cosas que nos ponen alguna duda y confusión y porque muchos de ellos venían para la ciudad de Ávila, y, habido por voluntad de su alteza la novedad que vuestras mercedes habrán sabido de se hacer en esta villa de Tordesillas, con autoridad de su alteza, y es servida que todos los agravios ahora y para adelante se remedien, pareciónos cosa conveniente que los poderes fuesen todos iguales y de un tenor para que mejor y más presto se acabe el negocio e hicimos un registro para que, conforme a aquél, cada ciudad traiga su poder, pedimos por merced a vuestras mercedes que muy brevemente le manden despachar a enviar a sus procuradores y que en esto no haya dilación porque no se pierda tiempo. El poder va señalado de los secretarios.

A vuestras mercedes y a todo el reino es notorio como, en tiempo de los Católicos reyes don Fernando y reina doña Isabel, que santa gloria hayan, se hicieron y ordenaron en Cortes muchas cosas excelentes y dignas de memoria para el bien de estos reinos, las cuales y las leyes y fueros y pragmáticas reales se han quebrantado por mal gobierno, *de donde se han seguido en el reino los daños irreparables y todos los inconvenientes y desasosiegos en que estamos, todo esto ha resultado del poco cuidado que las ciudades y comunidades han tenido que proveer de remedio para la observancia de su bien. E porque, placiendo a Nuestro Señor, en breve se proveerá de entero remedio, para que adelante no haya los daños y agravios que hasta aquí, así por el perjuicio del reino y comunidades como por lo que toca al servicio de la reina y rey nuestros señores, que consiste en* no ser disipados o destruidos sus reinos, *y porque así es la voluntad de la reina nuestra señora y su alteza, doliéndole mucho de sus reinos y por descargo de su real conciencia, nos manifestó a todos esta su voluntad y ser de ello servida y porque tornaríamos al mismo inconveniente si no se proveyese como se guardase lo ordena-*

do, muy platicado y conferido entre nosotros, e hicimos una her-
mandad y unión de todas las ciudades y villas, provincias, la cual
se otorgó por vuestros procuradores y los otros que aquí estaban y lo
mismo harán los otros que aquí vinieren, esperamos en Dios nues-
tro señor que nos guió a lo hacer que será servido como sea guarda-
da y de esta manera las ciudades y villas y comunidades de este reino
se hacen muy fuertes y poderosas y se guardarán sus leyes y fueros,
no consintiendo que se quebranten, *y el reino se forma en cos-*
tumbre y estilo de lo guardar como hasta aquí estaba en descuido
de no tener pena del quebrantamiento de ello y de su perdición.

Y, como visto esto y sabido por las personas que no han tenido
entera y buena voluntad al bien común, podía estar sin cuidado
que su mal propósito no habrá efecto.

Aquí enviamos la escritura de hermandad. Es menester que
vuestras mercedes lo manden pregonar con mucha solemnidad y
trompetas y que se notifique y haga saber y de la misma manera
publicar en las otras villas y lugares que no son de su jurisdicción y
caen debajo de su voto y provincia porque sea público en estos rei-
nos y todas del universal favor y esto manden vuestras mercedes que
luego se ponga así en efecto porque de la misma manera se provee y
manda que se haga en todo el reino y que se jure por las parroquias
y quadrillas.

Nuestro Señor sus muy magníficas personas guarde y estado
acreciente, de lo cual mandamos dar la presente, subescrita y firma-
da de Juan de Mirueña y Antonio Rodríguez, secretarios de la
Santa Junta, que es hecho en la villa de Tordesillas a veinte y seis
días del mes de septiembre de mil y quinientos y veinte años, por
mandado de los señores procuradores de las Cortes y Junta general
del reino, leales vasallos de sus majestades[21].

---

21 Archivo General de Simancas, *Patronato Real*, leg. 5, fol. 18.

III. DE TORDESILLAS A VILLALAR

Después de la toma de Tordesillas las tropas realistas podían haber puesto fin a la rebelión. Para ello les hubiera bastado con explotar su victoria y haber marchado sobre Valladolid. Pero sus jefes se contentaron con reforzar las guarniciones, proteger sus feudos, no procuraron destruir al enemigo como lo deseaba el cardenal Adriano, y ello por dos motivos:

1. Los nobles temían represalias contra sus feudos, una rebelión antiseñorial, si iban demasiado lejos en sus ataques. Les bastaba intimidar al enemigo mostrándole que tenían fuerzas suficientes para combatir.

2. El poder real era el que quería una victoria rápida y total y aplastar de una vez y para siempre la rebelión comunera. Pero los nobles no defendían las prerrogativas de la corona; defendían sus privilegios propios. Dejando pasar el tiempo, esperaban arrancarle a Carlos V concesiones, privilegios, mercedes, preocupación que denuncia la correspondencia del cardenal Adriano quien, en ningún momento, se hace ilusiones sobre la actitud de los nobles.

La toma de Tordesillas afectó duramente a la Junta, ya que trece procuradores quedaron prisioneros de las tropas realistas.

Los demás se dieron a la fuga. Poco a poco fueron reagrupándose en Valladolid, que iba a convertirse en la tercera capital del movimiento comunero. En Ávila se habían reunido los pioneros, los iniciadores; en Tordesillas creyó la Junta llegar a su fin; en Valladolid libró un combate de retaguardia. Cuando la Junta volvió a reanudar sus trabajos, el 15 de diciembre, sólo diez ciudades estaban representadas en ella: Toledo, León, Murcia, Salamanca, Toro, Segovia, Cuenca, Ávila, Zamora y Valladolid. Los procuradores de Madrid ocuparon su sitio unos días más tarde, pero los de Soria y Guadalajara no regresaron. De las catorce ciudades que habían enviado sus representantes a Tordesillas en septiembre sólo once permanecían fieles al movimiento.

La situación no era mejor en el plano militar. El ejército había perdido sus jefes; Girón había dimitido; Acuña, malhumorado, se había retirado a Toro; las tropas comenzaron a dispersarse y miles de hombres permanecieron acantonados en Villalpando mientras los demás se concentraban en los alrededores de Valladolid. Las deserciones eran numerosas. A comienzos del mes de enero los efectivos comuneros se habían reducido a la mitad: la Junta no tenía bajo sus órdenes más que 400 lanzas y unos 3.000 infantes. La Junta dio la voz de alarma, instando a las ciudades rebeldes a que intensificaran sus esfuerzos. En Toledo, Salamanca y Valladolid se formaron nuevos contingentes. Empezaron a llegar refuerzos a Valladolid. De Toledo salieron 1.500 hombres a los que se uniría un contingente de Madrid. Al frente de esta tropa marchaban Juan Zapata y Padilla. El retorno del más prestigioso de los jefes comuneros tenía un gran valor simbólico. Con él se pensaba que iban a volver los grandes días de agosto y septiembre. Todos esperaban que la revolución cobraría un nuevo empuje. El 31 de diciembre Valladolid dispensó una acogida delirante a Padilla, aclamado como si se tratara del Mesías. La presencia de Padilla a orillas del Pisuerga fue suficiente para transformar la situación. Los vencidos levantaron sus ánimos, mientras los vencedores comenzaban a sentirse inquietos otra vez. Un mes después de Tordesillas, el aparato militar de los comuneros estaba totalmente reconstruido.

Todos los testimonios que pueden recogerse sobre el estado de ánimo de los comuneros en los primeros días del mes de enero coinciden: la toma de Tordesillas no había acabado con la insurrección. Bien al contrario, los rebeldes parecían mostrar más decisión que nunca, denunciando con indignación la conducta de los Grandes. Incluso algunos parecen decididos a invadir los feudos de la nobleza. Los comuneros estaban menos dispuestos que antes a hacer concesiones. Los sacrificios que se imponían por su causa no dejaban de crear inquietud, pero el cardenal Adriano, por ejemplo, no podía menos que admirar su abnegación, con cierta amargura: estos hombres que se habían rebelado contra los nuevos impuestos exigidos por el rey no dudan en aceptar de buen grado todo tipo de sacrificios con la esperanza de verse más tarde, en caso de victoria, libres de cualquier servidumbre... Diversas medidas expresan esta nueva determinación de los rebeldes: se discutió la oportunidad de confiscar la casa del conde de Benavente en Valladolid, se prohibió a los mercaderes que acudieran a las ferias en las ciudades de señorío, se confiscaron los juros de un cierto número de Grandes, entre otros el almirante, el conde de Benavente y el conde de Castro. Simultáneamente se multiplicaron las escaramuzas en la región de Valladolid y tomaron el carácter de acciones de represalia contra los Grandes y sus aliados.

Los comuneros parecían dispuestos pues a la guerra total. Pero este ardor belicoso no era del agrado de todos en el bando comunero. Una fracción, en el seno de la Junta, comenzó a sentirse inquieta, y protestó por los excesos y los pillajes.

La determinación de la Santa Junta es que ningún lugar se saquee ni se robe ni se tomen bienes algunos. Pedimos por merced a vuestras mercedes e les requerimos e mandamos que ningún saco se haga ni se tomen ningunos bienes ni mantenimientos sy no fuere por prescio justo e porque desta Santa Junta no a avido comisión ni mandado para cosa que desta manera se hiziese, pedimos e mandamos a vuestras mercedes que todos los bienes que fueron tomados e saqueados al doctor Tello e Andrés de Ribera, su yerno, e a su muger e hijos les sean bueltos libremente syn que falte cosa alguna e no lo haziendo protestamos que no sea a culpa ni a cargo desta Santa Junta ni personas particulares e procuradores que en ella asysten [22].

Probablemente se trataba de una reacción de hombres de orden, deseosos de llevar una guerra limpia, pero también y ante todo era miedo a cortar de una vez por todas la posibilidad de compromiso con el enemigo, con los nobles. Algunos de los procuradores de la Junta frenaban la acción de los militares y de los militantes del movimiento. No hay que hacer demasiado caso de los escrúpulos morales que ponían como pretexto. Lo cierto es que una fracción de la Junta se resistía a romper de forma definitiva con sus enemigos.

Después de haber perdido Tordesillas, don Pero Laso de la Vega había decidido que el plan que se debería adoptar por las fuerzas comuneras debía consistir fundamentalmente en la con-

---

[22] Archivo General de Simancas, *Patronato Real,* leg. 4, fol. 51.

centración del mayor contingente en Valladolid, después de destruir los puentes de Simancas y Tordesillas para asegurar la defensa de la ciudad, convertida en capital del movimiento, y asimismo en apoderarse de la fortaleza de Torrelobatón, estableciendo allí un centro de acción para cortar las vías de comunicación del enemigo. Se trataba de un plan eminentemente defensivo cuya finalidad era mantener el potencial militar de la Junta al tiempo que se ejercía una presión sobre el enemigo, aunque sin pretender su total destrucción. Al parecer el propósito último de la Junta era buscar la posibilidad de negociación desde una posición de fuerza. Enterado de estos proyectos, Padilla manifestó su disconformidad[23].

Visto lo que los señores capitanes Juan de Padilla y Juan Zapata dicen que traen mandato de sus cibdades para yr sobre tomar la villa de Tordesillas, que a todos [los procuradores] les paresce muy bien que se tome Tordesillas y será cosa prouechosa y necesaria al bien común destos reynos, pero que el quándo y cómo y de qué manera se debe hazer que lo remiten a los señores capitanes para que vean la horden, pues ellos son los que lo an de hazer.

Él estaba dispuesto a luchar; su intención era vengar la derrota de Tordesillas. La Junta no se atrevió a enfrentarse con él abiertamente. Los comuneros no se entendían ni se ponían de acuerdo sobre la conducta que se debía adoptar. En Valladolid todo el mundo deseaba que se siguiera una táctica prudente y que el ejército tratara de ocupar Simancas y Torrelobatón, en tanto que Padilla pretendía poner cerco a Burgos, es decir, volver a tomar la iniciativa, obligar al enemigo a combatir.

---

23 *Ibid.*

Podemos hablar pues de la existencia de dos facciones en el bando comunero. Por un lado, quienes deseaban enzarzarse de inmediato en la lucha, por cuanto según ellos nada podía esperarse de los nobles, y cuyo máximo exponente en el plano militar era Padilla. De otra parte, quienes pretendían ante todo ganar tiempo, los que temían el enfrentamiento armado y creían todavía en la posibilidad de un compromiso. Don Pero Laso de la Vega era su jefe de filas. Un mes más tarde Padilla y don Pero Laso se verían enfrentados por el puesto de capitán general. Y no era únicamente una cuestión personal lo que opondría a estos dos hombres, como se ha dicho muchas veces, sino una divergencia fundamental sobre los fines que debía perseguir el movimiento, algo mucho más profundo que la mera discrepancia respecto a la táctica que se tenía que seguir.

Lo cierto es que esta oposición había paralizado el movimiento. La Junta se hallaba dividida entre quienes postulaban imponer la revolución por la fuerza y los que rechazaban comprometerse demasiado abiertamente y preferían parlamentar con los partidarios del emperador. La Junta continuó apoyando las acciones armadas, pero al mismo tiempo tanteó discretamente el terreno para entablar negociaciones. Al final acabaría siendo derrotada en ambos frentes, tanto el militar como el político.

Los anticomuneros les facilitaron no poco las cosas. En ningún momento trataron las tropas realistas de explotar su victoria de Tordesillas. El grueso del ejército fue licenciado y los señores regresaron casi todos a sus casas. Las dificultades financieras explican esta desbandada. El ejército resultaba costoso de mantener y las arcas reales estaban vacías. Los comuneros requisaban todos los impuestos, rentas reales, alcabalas, servicio, cruzada... La única solución eran los préstamos. Como hicieran en el mes de octubre, los virreyes acudieron nuevamente a Portugal con la esperanza de encontrar la comprensión de su monarca. Pero el rey Manuel no parecía tan bien dispuesto. Su embajador en Castilla le envió informes bastante pesimistas sobre la situación y la actuación de los grandes señores. El soberano portugués se negó a conceder un segundo préstamo y limitó su apoyo a facilitar al ejército real la pólvora que necesitaba para la artillería.

Por eso se vieron los virreyes forzados a licenciar parte de sus tropas y a renunciar a los refuerzos que se les ofrecían. El duque del Infantado, por ejemplo, envió 80 lanzas y autorizó reclutar 20.000 soldados en sus feudos. «¿Para qué los queremos?», se lamentaba el almirante, «si no podemos pagarlos». Es que los nobles estaban dispuestos a proporcionar gente, pero a condición de que el tesoro real se encargara de la soldada y de todos los gastos. El cardenal Adriano sabía perfectamente que los señores no luchaban por fidelidad al rey, sino por defender sus feudos. Por tanto pretendían cobrar por sus servicios y, a ser posible, por adelantado. A finales de enero el conde de Benavente declaró estar dispuesto a volver a la lucha pero con una condición: exigía que se le indemnizara de todos los gastos sufridos a raíz de la batalla de Tordesillas y de los destrozos que los comuneros habían causado en sus tierras. El mismo almirante, después de la batalla de Tordesillas, solicitó del condestable que le enviara refuerzos, pero no para marchar sobre Valladolid y aplastar a los rebeldes sino para defender su ciudad de Medina de Rioseco.

Los Grandes entre sí estaban divididos y, sin embargo, se unían contra el cardenal Adriano, un civil que se atrevía a dar consejos a los militares, ese hombre ingenuo e inocente que hablaba del interés del país y del reino, cuando en torno suyo nadie se preocupaba más que de defender sus intereses particulares. El cardenal, preocupado por administrar de la mejor manera el tesoro real y deseoso de poner fin al conflicto lo más pronto posible, instó a los señores a explotar el éxito de Tordesillas y a perseguir al enemigo. Pero el almirante se negó en redondo a librar batalla en las proximidades de Valladolid, donde se hallaban las tierras más ricas de su feudo especialmente su ciudad de Medina de Rioseco. No podía arriesgarse a que en la lucha los elementos de ambos bandos pudieran saquear sus fértiles tierras. Siempre llegamos al mismo punto. Los señores no deseaban combatir porque temían la posibilidad de represalias contra sus feudos. He aquí la explicación de que el ejército realista se contentara con ocupar algunas posiciones estratégicas en lugar de intentar dar el golpe de gracia a la rebelión. Un mes después de la victoria de Tordesillas, el poder real se hallaba, pues, paralizado por las divisiones y ambiciones de sus representantes. No presentaba ni la cohesión ni la inteligencia política necesarias para luchar eficazmente contra el ejército de los rebeldes.

En su interés de velar antes que nada por sus tropas y sus dominios, los señores se habían contentado con mantener guarniciones en diversos puntos de Castilla. Táctica ésta puramente defensiva que dejaba la iniciativa a los comuneros. Éstos, recuperados de la desmoralización provocada por el episodio de Tordesillas, reemprendieron las acciones militares a comienzos del mes de enero. Durante tres meses los rebeldes hostigaron las posiciones enemigas, sembraron el terror en la Tierra de Campos en una serie de operaciones bien dirigidas por Acuña, conocieron días de triunfo con la ocupación de Torrelobatón a cargo de Padilla y después no supieron sacar partido de su victoria, para, finalmente, hundirse en el campo de batalla de Villalar.

El nombre del obispo Acuña llena las páginas de la crónica del mes de enero. Para unos era símbolo de una furia asesina y devastadora que nada respetaba, ni los hombres ni las propiedades ni el carácter sagrado de los templos, y para otros estandarte de la emancipación social, de rebelión contra las servidumbres señoriales, de liberación en suma. Su dinamismo era verdaderamente impresionante y contagioso. El 23 de diciembre la Junta le encargó la misión de intentar despertar el fervor revolucionario en la región de Palencia. Su tarea consistía en desterrar a los sospechosos, percibir los impuestos en nombre de la Junta y organizar una administración local devota de la causa comunera. Acuña partió inmediatamente. En efecto, quedan testimonios de su presencia en Dueñas, donde inauguró su campaña de propaganda, y luego, el día de Navidad en Palencia, donde designó un nuevo corregidor. En la primera semana de enero se hallaba de vuelta en Valladolid. En poco más de una semana había sentado sólidas bases para la nueva estructura administrativa de Palencia y de la región, escrito a las behetrías de Campos y Carrión para intentar integrarlas en el movimiento, reclutando, además, tropas en nombre de la Junta y sobre todo había recaudado más de 4.000 ducados en concepto de impuestos, pues gozaba de una habilidad diabólica para conseguir dinero. En resumen, en unos pocos días había enderezado la situación y exaltado los sentimientos revolucionarios en la región de Palencia de un modo hasta entonces desconocido. Acuña, tras descansar unos días en Valladolid, se puso de nuevo en camino para completar su obra. Hacia el 10 de enero se hallaba otra vez en Dueñas. Entonces empezó la gran ofensiva contra los señoríos de Tierra de Campos. Los dominios de los señores fueron sistemáticamente devastados y las víctimas denuncian en términos vehementes el vandalismo, los actos de bandidaje cometidos durante esta campaña. El cardenal escribía:

> Al paso del obispo se roba, se desfigura a las gentes, se cometen asesinatos, se roba en las iglesias, se martiriza a los clérigos y se cometen actos de herejía inusitados[24].

A mediados del mes de enero Acuña recibió la noticia de que el conde de Salvatierra, don Pedro de Ayala, adherido a la Junta desde hacía algunos meses, se dirigía hacia Medina de Pomar y Frías, al frente de un ejército de dos mil hombres. En su avance intentaba, al pasar, incitar a la rebelión a los habitantes de las Merindades. El feudo del condestable se hallaba, pues, directamente amenazado. La misma situación personal del condestable se hizo sumamente precaria a consecuencia de este golpe imprevisto. Desde el mes de noviembre, Burgos estaba esperando a que el rey confirmara las promesas, realizadas en su nombre por el condestable, como pago a que la ciudad desertara de las filas comuneras. Los ánimos, ante la tardanza, habían comenzado a excitarse y el condestable a duras penas podía controlar la situación. Fue necesario que parlamentara sin cesar con los cerrajeros y zapateros de la ciudad, que distribuyera numerosas gratificaciones y, como él mismo reconoce no sin cinismo, mentir sin cesar. Y, posiblemente, todo esto en vano ya que todos los expedientes iban agotándose y la sublevación podía producirse en cualquier momento. El cardenal Adriano y el Consejo Real compartían la preocupación del condestable, que no cesaba de reclamar el envío de refuerzos para poder contro-

---

24 Carta del cardenal Adriano, 25 de enero de 1521 (Archivo General de Simancas, *Patronato Real*, leg. 4, fol. 1).

lar la ciudad, a la vista de que no llegaba la carta del emperador confirmando las famosas concesiones de noviembre. El obispo de Burgos, Fonseca, imperturbable partidario de la mano dura, era el único que aconsejaba a Carlos V no ceder un ápice. No podía hacerse concesiones a la rebelión.

Informados de la situación, Acuña y Salvatierra marcharon sobre Burgos, uno por el sur y otro por el norte. Su avance, pensaban ellos, serviría para dar coraje a los comuneros de la ciudad y precipitaría el esperado levantamiento. Conscientes del peligro, sus enemigos reaccionaron con rapidez. Desde Tordesillas don Francés de Beaumont se dirigió hacia el norte y ocupó el castillo de Ampudia, golpe de audacia que desorganizó todo el dispositivo de los comuneros en Tierra de Campos. Padilla partió apresuradamente de Valladolid, se unió a Acuña en Trigueros y sus dos ejércitos unidos —unos 4.000 hombres— se lanzaron sobre el enemigo, que había abandonado Ampudia para refugiarse en la Torre de Mormojón. Esta última cayó sin oponer resistencia. A continuación Padilla regresó hacia Ampudia, donde atacó el 16 de enero. Su población planteó una cierta oposición durante algunas horas y luego se avino a pagar un rescate de 2.000 ducados para evitar el pillaje.

El contraataque de Padilla situó a Burgos en una situación crítica. Para ganar tiempo, el condestable entabló conversaciones con los elementos más renuentes de la población, proponiéndoles hacer algunas gestiones cerca de las ciudades rebeldes para conocer sus condiciones en un eventual cambio de bando. Maniobra dilatoria, muy mal acogida, pero que permitió ganar algunos días. El conde de Salvatierra, el obispo Acuña y Padilla continuaban avanzando hacia Burgos. En la ciudad los simpatizantes de los comuneros tomaron sus medidas y comunicaron a Padilla que se presentase ante las puertas el 23 de enero, fecha señalada para el levantamiento. Pero la sublevación esperada se produjo dos días antes. Los comuneros de Burgos salieron a la calle. Inmediatamente se vieron enfrentados con las fuerzas del condestable, muy superiores. Los comuneros no tuvieron más remedio que rendirse a cambio de algunas concesiones —perdón, un mercado franco por semana— y tuvieron que abandonar el castillo que aún estaba ocupado por representantes del municipio desde la revuelta de junio de 1520. Fue una victoria fácil porque las tropas del conde de Salvatierra, de Acuña y Padilla no osaron realizar ningún movimiento. En adelante Burgos ya no volvería a plantear problemas a los virreyes.

Afectados por el fracaso de la conspiración, Padilla y Acuña detuvieron su avance. Padilla regresó a Valladolid, mientras que Acuña reemprendió sus ataques contra las propiedades señoriales de la Tierra de Campos. Durante más de un mes, Acuña, investido con plenos poderes por la Junta, asumió una verdadera dictadura sobre la Tierra de Campos. Sus víctimas, como es natural, denunciaron sobre todo los crímenes y pillajes que recuerdan el doloroso reinado de Enrique IV, antes de que los Reyes Católicos impusieran el orden en toda Castilla. No obstante, es interesante puntualizar quiénes eran esas víctimas. Acuña sabía muy bien a quién atacaba. En Tierra de Campos pretendía barrer el régimen señorial mediante la destrucción u ocupación de las plazas fuertes que dominaban la campiña como otras tantas amenazas para las poblaciones circundantes. Dio así al movimiento comunero una de las características más notables de su segunda etapa: el rechazo de un orden social basado en el régimen señorial.

Sin embargo, para la Junta el escenario principal de las operaciones militares era siempre el triángulo formado por Valladolid, Medina de Rioseco y Tordesillas. Allí era donde se

encontraba concentrado el grueso de las tropas enemigas, instaladas en una serie de plazas fuertes estratégicamente situadas
desde donde dominaban la región y organizaban rápidas operaciones sobre los puntos de comunicación de las fuerzas comuneras a fin de impedirles recibir avituallamiento y refuerzos.
Padilla deseaba obtener un rápido triunfo que sirviera para
reforzar la moral de las tropas y la de todo el movimiento. Fue
entonces cuando pensó en Torrelobatón, situado a mitad de
camino entre Medina de Rioseco y Tordesillas. La ciudad y su
castillo dominaban la región y podían constituir una excelente
base de partida para ulteriores acciones militares. Además,
Torrelobatón pertenecía al almirante de Castilla y a Padilla no
le desagradaba la idea de dar una lección a este viejo zorro, así
como a los miembros de la Junta que se dejaban cautivar por sus
bellas palabras. Veamos en qué términos se expresaba Padilla
sobre el almirante:

Ya saue Vuestra Señoría como, prometiendo de no aceptarla [la
gobernación], la aceptó, y la invención suya, que aunque tiene y ha tenido apariencias, más ha destruydo las cosas generales que lo de Ronquillo
y Fonseca, porque aquellos consigo y con sus gentes públicamente des-
truían las cosas comunes, y éste ha tenido tal maña que no solamente en
las ciudades ha puesto diuisiones y ha querido desiuntar lo que para el
vien común estaua junto, mas en los hombres procura de hacer que esté
la mano derecha contra la izquierda. Y como buen maestro, por donde
saue que estas cosas se ganaron y se engrandecieron, por allí trauaxa de
perderlas y aniquilarlas. Saue que la vnión nos ensalzó y procura desunir-
nos, porque ha sauido la verdad y es que no hay otra manera de desha-
cernos; porque si otra huviese, él la buscaría, y si mis palabras son verdaderas o livianas, la experiencia de las cosas nos lo muestra más de lo
que yo quería, y por esto me parece que éste es el mayor enemigo y que

más daño haze. Fonseca y Ronquillo pelearon contra sí, consigo; éste ha peleado contra nosotros y nos ha de destruir [25].

El día 21 de febrero, a medianoche, el ejército se puso en marcha. Al alba estaba ante las puertas de Torrelobatón, donde se dio la alarma inmediatamente. Se envió un ultimátum a la guarnición, cuya respuesta fue la de disparar contra los mensajeros e inmediatamente comenzó el asedio. La lucha fue dura, ya que la plaza se hallaba bien protegida: gruesas murallas, muy altas y bien conservadas, protegían por todas partes a la pequeña aldea. Dado que las dificultades iban a ser grandes, se autorizó a la tropa a saquear cuanto quisiera. Los combates se alargaron durante cuatro días, en los cuales no llegó refuerzo alguno a los defensores. Los escasos efectivos que partieron de Tordesillas con este fin hubieron de volverse atrás, ya que no contaban con infantería. El 25 de febrero los comuneros entraron en la pequeña ciudad que fue entregada al pillaje, del que sólo se salvaron las iglesias. El castillo resistía aún. Los asaltantes amenazaron con ahorcar a todos los habitantes si no se rendía y, finalmente, capituló tras haber firmado un acuerdo por el cual podían conservar la mitad de los bienes que se hallaron en el interior del castillo.

La toma de Torrelobatón despertó el entusiasmo entre los comuneros y provocó la inquietud y la discordia en las filas de la nobleza. El almirante, lógicamente, era el más afectado. Acusó formalmente a sus aliados de Tordesillas de no haber hecho nada para salvar la plaza, a pesar de sus llamadas de socorro. El cardenal Adriano, por su parte, condenó la actitud del responsable de la guarnición que prefirió salvar su vida y su fortuna, pero tam-

---

[25] Carta de Padilla a la ciudad de Toledo, 2 de marzo de 1521, citado por M. Danvila, *Historia crítica y documentada de las Comunidades de Castilla*, t. III, Madrid, 1897.

bién de forma más general la negligencia del conde de Haro, máximo responsable del ejército realista, y las divisiones de la nobleza. El conde de Haro se defendió como pudo, apelando a la superioridad numérica de los comuneros que habían puesto en línea de combate a 6.000 infantes, 600 lanzas y una potente artillería. Y sobre todo intentó cargar la responsabilidad sobre el almirante. Si él no se había apresurado a enviar refuerzos, fue porque el mismo almirante le comunicó en los primeros momentos del asedio que la situación no era tan grave como se podía haber pensado en un principio. Estas discusiones ilustran perfectamente la importancia de la batalla. Los rebeldes exultaban de gozo, mientras sus enemigos eran presa de la desesperación.

En esta singular guerra civil una especie de fatalidad parecía pesar sobre los combatientes de ambos bandos; nadie parecía saber o poder explotar la victoria. La victoria de Tordesillas pareció ser negativa para los señores; después de ella se produjeron divisiones entre ellos, licenciaron una parte de sus tropas y permitieron que el enemigo se rehiciera de su derrota, para ser sorprendidos finalmente en Torrelobatón. Algo parecido sucedió a los comuneros: vencedores en Torrelobatón, perdieron luego un tiempo precioso y cuando por fin intentaron reaccionar fue para caer en la trampa de Villalar. En efecto, el terrible ejército que Padilla había conducido hasta las murallas de Torrelobatón no tardó en apaciguar su ardor. Amparados en la tregua, muchos soldados abandonaron su puesto y otros, como los de Madrid, cansados de esperar su soldada, se retiraron a sus casas. Padilla, acuartelado en Torrelobatón, había decidido reforzar las defensas y la guarnición. Desde allí intentaba de vez en cuando alguna incursión en las tierras del almirante. Hubiera podido marchar sobre Medina de Rioseco. Esto era lo que te-

Castillo de Torrelobatón, Valladolid, la última conquista comunera.
(Foto: Diputación de Valladolid, Patronato Provincial de Turismo.)

mían los virreyes, pero Padilla parecía haber perdido el empuje que le animaba cuando había salido de Valladolid.

Los comuneros no supieron así aprovechar esta situación que seguía muy incierta por la dispersión de los escenarios donde tenían lugar las operaciones militares. Éstas se habían desarrollado preferentemente en tres puntos. En torno a Burgos se enfrentaban el condestable y el conde de Salvatierra. En el reino de Toledo el prior de San Juan hacía lo posible por resistir la presión del obispo de Zamora que se había trasladado a aquella zona después de sus triunfos en Tierra de Campos. Finalmente, en la zona central de Castilla, los partidarios y los enemigos de la comunidad se vigilaban estrechamente. Allí fue donde se ventiló la suerte de la rebelión. Los comuneros habían establecido allí su capital y sus principales bases de operaciones y se hallaban en una situación bastante sólida. El acto decisivo tuvo lugar cuando el condestable, abandonando su refugio de Burgos, se puso en ruta hacia Valladolid. Los tres escenarios de las operaciones se redujeron entonces a dos, y los ejércitos realistas del norte y del centro, concentrados sobre el mismo objetivo, no tuvieron ninguna dificultad para aplastar a los comuneros.

Fue la caída de Torrelobatón la que decidió al condestable a prestar atención a las urgentes llamadas de ayuda que le dirigían sus colegas de Tordesillas y acudir personalmente a llevarles refuerzos. A principios de abril se puso en camino con un ejército temible: 3.000 infantes, 600 lanzas, 2 cañones, 2 culebrinas, 5 piezas ligeras de artillería. El día 12 ocupaba la ciudad de Becerril; el 21 estableció su campamento en Peñaflor donde se le unieron las tropas del almirante y de los señores de Tordesillas.

El avance del condestable, que no encontró ningún obstáculo importante, pareció sorprender a los comuneros. Reforzaron la guarnición de Torrelobatón, pero su ejército carecía de cohesión. Ante la llegada del condestable, Padilla consideró la posibilidad de retirarse a Toro, esperar allí refuerzos y reorganizar su tropa. Pero perdió tiempo antes de decidirse, dejando así al enemigo la oportunidad de finalizar la concentración de sus huestes. Cuando Padilla salió de Torrelobatón para dirigirse a Toro, el almirante y el condestable se lanzaron contra él y le alcanzaron cerca de Villalar. Padilla contaba con unos 6.000 hombres, entre los cuales había 400 lanzas y 1.000 escopeteros. La caballería realista (unas 500 ó 600 lanzas) atacó de inmediato sin esperar la llegada de su infantería. No permitió a los comuneros que se desplegaran. Cansados por una marcha precipitada y sufriendo las molestias de la lluvia, los soldados de Padilla fueron presa fácil de la caballería enemiga. Los comuneros dejaron un millar de muertos; sus dirigentes quedaron prisioneros y los restos de su ejército fueron perseguidos por el conde de Haro hasta las inmediaciones de Toro.

Así acabó la rebelión de las Comunidades. Los nombres más ilustres de la nobleza castellana se hallaron presentes en aquella ocasión: el almirante, el condestable, el duque de Medinaceli, los condes de Haro, de Benavente, de Alba de Liste, de Castro, de Osorno, de Miranda, de Cifuentes, los marqueses de Astorga y Denia y una multitud de señores de menor rango. Villalar no cerraba definitivamente el ciclo revolucionario; Toledo iba a resistir todavía durante más de seis meses pero los núcleos vitales del movimiento estaban heridos de muerte. El 24 un tribunal reunido en el mismo lugar de la batalla de Villalar juzgó y condenó a la pena máxima a los capitanes principales del bando comunero: Padilla, Bravo y Francisco Maldonado. La sentencia fue ejecutada inmediatamente.

Antonio Gisbert, Los comuneros de Castilla en el patíbulo, *Congreso de los Diputados, Madrid.*
(Foto: ORONOZ.)

Sentencia contra Juan de Padilla, Juan Bravo
y Francisco Maldonado

En Villalar á veinte é cuatro dias del mes de abril de mil é qui-
nientos é veinte é un años el señor alcalde Cornejo por ante mí Luis
Madera escribano, recibió juramento en forma debida de derecho de
Juan de Padilla, el cual fue peguntado si ha seido capitán de las comu-
nidades, é si ha estado en Torre de Lobatón peleando con los Gober-
nadores de estos reinos contra el servicio de SS.MM.: dijo que es verdad
que ha seido capitán de la gente de Toledo é que ha estado en Torre de
Lobatón con las gentes de las comunidades, é que ha peleado contra el
Condestable é Almirante de Castilla Gobernadores de estos reinos, é que
fue á prender á los del Consejo é alcaldes de sus Majestades.

Lo mismo confesaron Juan Bravo é Francisco Maldonado
haber seido capitanes de la gente de Segovia é Salamanca.

Este dicho día los señores alcaldes Cornejo, é Salmeron é Alcalá
dijeron que declaraban é declararon á Juan de Padilla, é á Juan
Bravo é á Francisco Maldonado por culpantes en haber seido trai-
dores de la corona Real de estos reinos, y en pena de su maleficio
dijeron que los condenaban é condenaron á pena de muerte natu-
ral é á confiscación de sus bienes é oficios para la cámara de sus
Majestades como á traidores, é firmáronlo. Doctor Cornejo. El
Licenciado Garci Fernandez. El Licenciado Salmeron.

E luego incontinente se ejecutó la dicha sentencia é fueron
degollados los susodichos. E yo el dicho Luis Madera escribano de
sus Majestades en la su corte é en todos los sus reinos é señoríos que
fui presente á lo que dicho es, é de pedimento del Fiscal de sus
Majestades lo susodicho fice escribir é fiz aquí este mio sino atal. En
testimonio de verdad. Luis Madera[26].

---

26 Archivo General de Simancas, *Patronato Real.*

IV.   TOLEDO

La mayor parte de los historiadores consideran que la batalla de Villalar puso fin a la rebelión de las Comunidades, y cali-
fican a la resistencia de Toledo como una simple peripecia, un
combate por defender el honor. No es cierto. En Villalar desapareció la organización política de la revolución, la Santa
Junta, que no volvería a reconstituirse más. Asimismo, en
Villalar perdió también el movimiento comunero uno de sus
núcleos, el más importante, el más poblado, el más sólido: las
tierras de Palencia, Valladolid y Segovia. La derrota y la ejecución de los tres capitanes del ejército comunero provocaron un
movimiento de pánico al norte del Guadarrama y las ciudades
fueron rindiéndose una tras otra. En el sur todo fue distinto.
Allí se encontraba, en torno a Toledo, el segundo núcleo del
movimiento, la cuna de la revolución. Fue de Toledo de donde
salió, en 1519, la campaña contra la política imperial; fue
Toledo quien, en 1520, convocó la Santa Junta y fueron los soldados de Toledo los que liberaron Tordesillas, aislaron al poder
real e impusieron la voluntad de la Junta en Valladolid. Cuando
marcharon de allí, en octubre de 1520, tras el nombramiento de
Girón, la revolución estaba sólidamente asentada en toda
Castilla la Vieja. Volvieron a ella en enero de 1521, tras la derrota de Tordesillas, y su presencia sirvió para dar nuevo empuje al

movimiento. Toledo, pues, dio la señal de partida de la revolución, la impuso y supo salvarla cuando parecía que estaba a
punto de sucumbir.

Tras la derrota de Villalar la situación era mucho más grave
que nunca, pero no desesperada. En las riberas del Tajo los
rebeldes disponían de un ejército intacto y de un general discutido pero dinámico, Acuña, que gozaba de una popularidad
considerable entre la población. Añadamos a estos datos las
repercusiones de un acontecimiento exterior: la invasión de
Navarra por las tropas francesas iba a obligar a los virreyes a dirigir sus fuerzas hacia el norte, justo después de haber conseguido la victoria sobre los enemigos internos. Afirmémoslo una vez
más: nada se decidió en Villalar; Toledo seguía manteniendo la
antorcha de la revolución y podía tener esperanzas de trasladar-
la de nuevo, como había hecho ya en el mes de enero, al norte
del Guadarrama.

La llegada del obispo Acuña a tierras de Toledo se debió a
circunstancias fortuitas. El cardenal de Croy, nombrado por
Carlos V arzobispo de Toledo y sucesor de Cisneros, murió en
enero de 1521. Los comuneros de Toledo propusieron como
sucesor a don Francisco de Mendoza, hermano de doña María
Pacheco. Pero en Valladolid se ventilaban otros proyectos. La
Junta decidió enviar a Toledo a don Antonio de Acuña, no se
sabe si para contrarrestar a doña María Pacheco o para tomar
posesión de la sede vacante. Lo cierto es que Acuña se puso en
marcha a mediados de febrero, al frente de una tropa numerosa. Desde Buitrago escribió a los canónigos de Toledo para
anunciarles su llegada. En Torrelaguna dio a entender que venía
a instalarse en la sede de Toledo. El 11 de marzo la Junta preci-
só por fin la misión encomendada a Acuña: le encargó tomar
posesión del arzobispado.

Por su parte, el obispo de Zamora, nada más llegar a tierras toledanas, puso mucho cuidado en no hacer nada que pudiera acarrearle las iras de la aristocracia local. El hombre que en otro tiempo había sembrado el terror en los señoríos de Tierra de Campos se mostró extraordinariamente prudente una vez hubo entrado en el reino de Toledo. Dos poderosos señores tenían allí sus feudos: el duque del Infantado y el marqués de Villena. El primero había tomado la iniciativa de entrar en contacto con Acuña, con la intención de asegurarse contra cualquier riesgo de subversión en sus dominios; a cambio se habría mostrado dispuesto a prestar su apoyo a Acuña para permitirle ejercer sin obstáculos su función de administrador del arzobispado. Acuña le habría asegurado que no intentaría nada contra sus tierras, pero se habría negado, por prudencia, a concluir un acuerdo formal con el duque. Lo cierto es que el duque del Infantado esperó el último momento, la derrota de Villalar, para intervenir directamente, en Alcalá de Henares, por ejemplo, y restablecer la autoridad real. En lo que respecta al marqués de Villena las relaciones habrían sido más tensas, pero un factor favorecía a Acuña; el marqués se sentía herido por el hecho de que Carlos V no le prestaba la menor atención, que no atendía a ninguna de sus sugerencias. Tampoco el marqués hizo nada por impedir la marcha triunfal de Acuña sobre Toledo, manteniendo en todo momento una actitud de altiva reserva.

Conseguida así la neutralidad de los miembros más poderosos e influyentes de la aristocracia local, Acuña iba de éxito en éxito. Antes incluso de que apareciese, en todas partes, ciudades y aldeas aclamaban a la Comunidad y cuando se presentaba le recibían con los brazos abiertos. Los acontecimientos de Alcalá de Henares pueden servir de ejemplo. El 7 de marzo Acuña llega a las puertas de la ciudad. Allí fue recibido por el vicario y por los notables y funcionarios municipales. Acuña hizo su entrada en medio de una multitud entusiasta. La noche siguiente, la ciudad entera se vio sacudida por una gran alegría. Las gentes paseaban por las calles gritando: «¡Comunidad! ¡Comunidad! ¡Acuña! ¡Acuña!», según unos, y según otros: «¡Viva el arzobispo de Toledo, capitán de la Comunidad!» Dos nombres destacan de entre los partidarios del obispo de Zamora en la Universidad de Alcalá: Florián de Ocampo y Hernán Núñez. El primero se hallaba en todos los alborotos. Por su parte, Hernán Núñez, «el comendador griego» —se le conocía con este nombre porque era comendador de la orden de Santiago y catedrático de griego en la Universidad de Alcalá—, hacía gala de un celo menos agresivo. En ocasiones no se privaba de proclamar a voz en grito su fe revolucionaria, afirmando que se convertiría al islam en caso de victoria de los Grandes y si veía que todavía había gente que ganaba más de cien mil maravedíes por año. Pero normalmente su actividad era más cauta. Afirmando ser amigo íntimo de Acuña, mencionaba a sus interlocutores todos los beneficios que podrían obtener si se decidían a alinearse decididamente en el bando comunero y distribuía en nombre del obispo de Zamora títulos de rentas y prebendas. Insinuaba tentadoras proposiciones al oído de los vacilantes, recomendándoles que mantuvieran buenas relaciones con Acuña, que hablaran bien de él, ya que Acuña no tardaría en convertirse en arzobispo de Toledo a pesar de Carlos V; si fuera necesario ocuparía el arzobispado por la fuerza.

Los amigos de Acuña no retrocedían ante nada para conseguir la adhesión de las multitudes. Oficialmente, Acuña había llegado con la misión encomendada por la Junta de administrar el arzobispado de Toledo, pero sus partidarios trataban por todos los medios de incrementar sus poderes. Según ellos, la elección de Acuña para el arzobispado no era más que una simple formalidad y el interesado estaba dispuesto, en un momento dado, a acelerar las cosas. Así, todo el mundo fue acostumbrándose a esta idea y Acuña, sin haber presentado formalmente su candidatura, se acercaba poco a poco a Toledo como si efectivamente fuera a tomar posesión de la mitra, siendo recibido y aclamado en todas partes como el futuro arzobispo. Acuña tardó más de un mes para llegar de Valladolid a Toledo; tenía que preparar el terreno. En Toledo no sabía qué recibimiento le esperaba, ya que en esta ciudad doña María Pacheco había propuesto como candidato al arzobispado a su propio hermano. Las brillantes recepciones de Torrelaguna, Talamanca y Alcalá eran otros tantos golpes asestados a los partidarios de doña María, ya que hacía que reluciera aún más la popularidad de Acuña, en quien las multitudes hábilmente manejadas saludaban ya al arzobispo. Estas aclamaciones equivalían a la *vox populi* que designaba a Acuña. Éste se aproximaba sin prisa pero sin pausa hacia la capital. Parecía difícil que, llegado el día, el recibimiento de Toledo pudiera desmentir el entusiasmo de las ciudades y aldeas de todo el arzobispado. Sin embargo, el obispo de Zamora tenía que franquear todavía otro obstáculo: el ejército del prior de San Juan que se había interpuesto en su camino.

Don Antonio de Zúñiga, prior de la orden de San Juan, había sido nombrado por los virreyes, en enero de 1521, jefe de las fuerzas realistas en el reino de Toledo. Esta decisión, tomada en un momento en que la situación al sur del Guadarrama, sin ser de una calma total, no presentaba ningún motivo de inquietud, parecía responder, por parte de los virreyes, al deseo de no dejar la iniciativa a los comuneros en esta región y a hacer pesar sobre su retaguardia una amenaza permanente. La llegada del obispo Acuña dio al traste con estos propósitos. Al ejército del sur se le encomendó la tarea de detener la marcha de Acuña y para ello se reforzaron considerablemente los efectivos puestos a disposición del prior. A mediados de marzo, el prior contaba ya con 4.000 infantes y 400 lanzas; en Tordesillas y Burgos se disponían a enviarle nuevas sumas de dinero para permitirle incrementar su potencial militar.

Informado de la presencia del prior en Corral de Almaguer, acudió allí de inmediato Acuña, pero su enemigo se había replegado hacia Tembleque. Acuña le envió un desafío que el prior no aceptó. Así quedó establecida una tregua, pero el prior se aprovechó de ella para lanzar un ataque de improviso. El choque tuvo lugar cerca de Lillo, en El Romeral. El obispo de Zamora, sorprendido por la violencia de los ataques, se defendió con energía, recibió dos heridas y devolvió golpe por golpe al enemigo. Veamos a continuación lo que escribió el prior al conde de Miranda el 30 de marzo:

Después que despaché a Iñigo de Ayala, mi primo, por las postas, que fue Viernes Santo [29 de marzo], para Vuestra Merced [...], la mesma tarde que partió, fui avisado como el obispo de Zamora ha huido de Yepes [...]. Vnos dicen que va a Castilla; otros dicen que va a predicar su seta a Alcalá y a Madrid; otros dicen que se va a Francia y esto es lo que tengo por más çierto [...]. Dios ha puesto la mano en todo esto, porque en verdad, segund el grand crédito que este obispo tenía y la mucha gente que en este reyno de Toledo le acudía y la grand soberbia con que entró en este reyno, no estaba en poder de honbres resistillo sy no lo oviera hecho Dios como tengo dicho [...]. El obispo va el más amenguado y corrido honbre y abatido que jamás se vio [...].

Hanme certificado de quien le ha tratado y hablado que después que le desbaraté está fuera de sy y no está en su iuizio natural[27].

Finalmente, los combatientes se retiraron. No se sabe con exactitud el vencedor de la batalla. Los primeros informes llegados a Tordesillas daban la impresión de que el prior había aplastado a Acuña; se hablaba de 600 o 700 víctimas e incluso mil en las filas comuneras. En realidad, las pérdidas fueron menores. Acuña, deseoso de conservar su prestigio de soldado imbatible, hizo todo lo posible por minimizarlas, pretendiendo incluso haber infligido una derrota al enemigo, propaganda psicológica que se halla documentada en Alcalá, donde Florián de Ocampo hacía callar, incluso a punta de cuchillo, a quienes en la universidad proclamaban la derrota de Acuña. Otros propagandistas iban todavía más lejos, afirmando que Acuña se había salvado gracias a un auténtico milagro y que por tanto el verdadero vencedor no era el prior sino el obispo de Zamora. Al instante se imprimieron panfletos para propagar las buenas noticias entre las gentes del campo. Una vez más vemos en torno a Acuña a un equipo de propagandistas hábiles, capaces de transformar en victoria una derrota. Quizá no todo el mundo dio crédito a esta versión de los hechos, pero era suficiente la duda para atenuar el mal efecto que hubiera podido producir la batalla del Romeral entre la población del arzobispado. Y así, el obispo de Zamora pudo reemprender su marcha con una nueva energía.

Mientras todo el mundo lo creía huyendo, en efecto, Acuña hacía una entrada teatral en Toledo. Todos los testimonios que pueden recogerse sobre este episodio coinciden. Lo

---

27 Archivo General de Simancas, *Memoriales*, leg. 141, fol. 220.

realmente sorprendente es el extraordinario sentido de la puesta en escena que demuestran los partidarios del obispo. El día de Viernes Santo, 29 de marzo, Acuña entró discretamente en la ciudad acompañado tan sólo de algunos fieles bien armados. Una vez en el Zocodover, se quitó la capa, descubrió su rostro y gritó: «¡Soy el obispo de Zamora! ¡Vivan el rey y la Comunidad! ¡Mueran los traidores!» La multitud se reunió al instante. Más de 2.000 personas lo rodearon y comenzaron a aclamarlo como el remediador de los pobres y lo llevaron hasta la catedral donde se estaba celebrando el oficio de Tinieblas. Acuña se apeó del caballo, se concentró durante un instante, pero la catedral estaba llena ya por la multitud de sus partidarios. Desde todas partes comenzaron a conducirle hacia el trono del arzobispo, donde finalmente se aposentó en medio del entusiasmo general.

A continuación exponemos la versión del prior de San Juan, cuando fue informado de los hechos, escrito inmediatamente posterior al reproducido con anterioridad:

> Estando escribiendo ésta, me avisaron que ciertos comuneros de Toledo fueron tras el obispo y le metieron solo en Toledo, el qual no se dexó conocer de nadie hasta que llegó a Zocodover y allí, de que supieron que hera el obispo de Zamora, tomáronle muchos comuneros y lleváronlo a la iglesia mayor y asentáronlo en la sylla arçobispal y házenle capitán general [28].

Entrada teatral y puesta en escena, ciertamente. Pero también había otras razones que impulsaban a Acuña a actuar de este modo. En su declaración en el proceso de 1524 Acuña afirmó haber hecho su entrada en Toledo con la oposición de doña

---

[28] *Ibid.*

María Pacheco y esta afirmación tiene gran parte de verdad. Para doña María, Acuña era un rival. Temía que el obispo fuera capaz de subyugar por completo a una ciudad en la que hasta aquel momento la mujer de Padilla gozaba de una autoridad incontestada, y además lo consideraba un competidor peligroso para el arzobispado, pues hasta el último momento doña María no renunció a imponer la candidatura de su hermano, don Francisco de Mendoza. Dados estos presupuestos, Acuña estaba jugando una carta muy importante arriesgándose a entrar en Toledo. Podía haber procedido como en otras ciudades, anunciando previamente su llegada para conseguir un recibimiento triunfal, pero esto hubiera exigido un entendimiento previo con doña María Pacheco, una negociación que quizá lo hubiera atado las manos en el asunto del arzobispado. En lugar de eso, la manifestación del día de Viernes Santo, espontánea en apariencia, había hecho de él el dueño de la situación. No debía nada a doña María Pacheco y el pueblo de Toledo se había pronunciado llevándolo literalmente hasta el trono de los arzobispos. Era de nuevo la *vox populi* la que había hablado. La suerte estaba definitivamente echada: Acuña sería candidato al arzobispado pese a la oposición de doña María. Decididamente los colaboradores del obispo de Zamora no tenían rival a la hora de manejar a las masas. De hecho, el mismo día de Viernes Santo dio cuenta a la ciudad de Alcalá de Henares y, con seguridad, también a otras, del triunfal recibimiento en Toledo:

Parescióme de hazer saber a vuestras mercedes como a señores a quien yo tanto devo lo que oy ha subcedido y es que yo fui llamado por la honrada comunidad de la yllustre cibdad de Toledo para que juntos diésemos orden en todo aquello que tocase a la república y asy, cumpliendo su mandamiento, vine a esta cibdad donde por todos los vecinos della fui muy bien rescebido y con mucha voluntad y favor me llevaron a la iglesia catedral de la dicha cibdad y me hizieron asentar en la sylla arçobispal donde se hizo a consentimiento de todos el aucto de posesión del arçobispado por ante notario público y otros, y de allí fuimos al cabildo de la iglesia, donde se hiço el aucto en forma y como digo con gran voluntad de todo el pueblo. Y luego acordamos juntos dar orden como se haga la más gente que se pueda, asy de pie como de cauallo, asy en esta cibdad y en todas las villas e lugares amigas de la república, para cobrar los lugares que están tiranizados por los contrarios enemigos de nuestros propósitos. Creo que todo procede de Dios, al qual plega encaminar en todo como sea seruido y como nuestro santo propósito vaya adelante como cosa tan santa[29].

Acuña se erigió en rival de doña María, pero tuvo la habilidad de no dar publicidad a este enfrentamiento. Aparentemente ambas figuras luchaban juntas por el triunfo de la Comunidad. Las discusiones entre ellos las mantenían en privado. En una carta del condestable, escrita inmediatamente después de la entrada de Acuña en Toledo, podemos leer una frase que indica cómo Acuña trató de reconciliarse con doña María Pacheco: Acuña se reservaría el arzobispado de Toledo y apoyaría la candidatura de Juan de Padilla para el cargo de maestre de la orden de Santiago.

El obispo de Zamora permaneció en Toledo más de un mes. Durante este período aportó nuevo vigor al movimiento comunero en el interior de la ciudad y al mismo tiempo combatió con energía a las fuerzas del prior de San Juan en el área próxima a la capital, hasta el momento en que, tras la derrota de

---

[29] Carta de Antonio de Acuña, 29 de marzo de 1521 (Archivo General de Simancas, *Memoriales*, leg. 158, fol. 137).

Villalar, su autoridad fue puesta en tela de juicio. Apenas llegado a Toledo, el obispo de Zamora comunicó a toda la población su propio dinamismo y su voluntad de lucha. En ningún momento habló de la posibilidad de llegar a un acuerdo con el prior de San Juan. Bien al contrario, Acuña sometió a la población de Toledo a un esfuerzo de guerra sin precedentes. Movilizó a todos los hombres entre los 15 y los 60 años e impuso contribuciones extraordinarias para financiar sus operaciones. Acuña salió de Toledo el 12 de abril al frente de 1.500 hombres. Inmediatamente se instaló en Yepes, donde ya se hallaban acantonados los soldados de Gonzalo Gaitán, otro comunero de gran prestigio en aquella zona. Desde allí comenzó a operar en las áreas rurales circundantes. Atacó y destruyó Villaseca y el feudo de don Juan de Ribera. Asimismo, libró duros combates con las fuerzas del prior de San Juan en las orillas del Tajo, en Illescas y en la Sisla. Sus enemigos desplegaban contra él la misma violencia.

El 26 de abril llegaron a Toledo al atardecer las primeras referencias de la batalla de Villalar. Al día siguiente comenzó a circular el rumor de que Padilla, Bravo y Maldonado habían sido ejecutados. Los jefes comuneros se esforzaron por ocultar estas malas noticias e incluso llegaron a afirmar que la batalla había sido ganada por la Junta. Pero muy pronto empezaron a llegar a la ciudad los supervivientes de la batalla y entre ellos un criado de Padilla que confirmó lo que ya todo el mundo sabía: él personalmente había oído la sentencia contra Padilla y había sido testigo de su ejecución. En vano algunos partidarios de Acuña comenzaron a hablar de matarlo para hacerlo callar. La certidumbre era ya insoslayable. El obispo de Zamora se dirigió entonces a casa de doña María Pacheco. Al anochecer Acuña se personó en la catedral y ordenó que repicaran las campanas para anunciar oficialmente la muerte del invencible Padilla. Las campanas sonaron al mismo tiempo en todas las demás iglesias de Toledo. Toda la ciudad se declaró en duelo. Una multitud considerable —las dos terceras partes de la población, según un cálculo sin duda exagerado— comenzó a desfilar por las calles y ante la casa de Juan de Padilla. Hombres, mujeres y niños de todas las clases sociales y todos llorando como si la desgracia les hubiera afectado personalmente. Nunca príncipe alguno —se decía en Toledo— ha sido llorado de este modo en esta ciudad. Los canónigos, prisioneros a la sazón por orden de Acuña, rezaron también por el alma del héroe desaparecido.

Esta impresionante manifestación fue la última que reunió a la población en un impulso unánime. En efecto, el día 1 de junio un grupo de comuneros trató de destruir la casa de don Pero Laso de la Vega, a quien se acusaba de haber otorgado su aquiescencia y de haber asistido a la muerte de Padilla. Acuña se opuso a este acto, se personó en la casa y dejó en ella una protección de veinte ballesteros; mandó publicar un edicto amenazando de muerte a todo aquel que participara en la destrucción de una casa cuyo propietario no hubiera sido debidamente juzgado. Era la primera vez que Acuña se oponía al pueblo. Este enfrentamiento no habría de ser el último. La noticia de la derrota de Villalar había producido el desconcierto en Toledo y las decisiones de Acuña comenzaron a ser discutidas. Así pues, éste y otros incidentes semejantes señalan el fin de la influencia de Acuña en Toledo. Tras haber entrado clandestinamente en la ciudad contra la voluntad de los dirigentes comuneros locales, había podido imponerse gracias a su enorme popularidad entre la población. Para poder hacerle frente hubiera sido necesario contar con una personalidad tan brillante como la suya, y doña María Pacheco había instado varias veces a su marido para que regresara urgentemente a la ciudad. En defi-

Monumento a los comuneros en Villalar. La derrota de Villalar y la ejecución de los jefes militares crearon confusión y desconcierto en las ciudades rebeldes, que acabaron por rendirse.
(Foto: Diputación de Valladolid, Patronato Provincial de Turismo.)

nitiva, Acuña había podido dominar la situación en Toledo durante un mes. La derrota de Villalar y las ceremonias y celebraciones en honor de Padilla hicieron cambiar la situación, al permitir a sus adversarios reaparecer en público. Algunos empezaron a pensar ya en solicitar la mediación del marqués de Villena para ahorrar a la ciudad más sufrimientos inútiles. Acuña había perdido la partida. No pensaba más que en la huida. Salió de Toledo de una forma bastante misteriosa y tres semanas después fue reconocido y arrestado en un pueblo de Navarra.

La derrota de Villalar y la ejecución de los jefes militares de la Junta causaron la confusión y el desconcierto en las ciudades rebeldes, que una tras otra acabaron rindiéndose. En los primeros días del mes de mayo toda Castilla la Vieja se hallaba pacificada, pero al sur del Guadarrama existían todavía dos núcleos rebeldes: Madrid y Toledo. No parecía posible que su resistencia pudiera durar mucho tiempo; los virreyes, al frente de una fuerza importante, se dirigían hacia el sur. Pasando Valladolid, el 1 de mayo llegaron a Medina del Campo y algunos días más tarde entraron en Segovia. Aquellos que hasta el momento se habían mantenido vacilantes tomaron postura por los vencedores. El duque del Infantado restableció el orden en Alcalá de Henares en tan sólo unas horas; el jefe comunero de Madrid, el bachiller Castillo, también se rindió y el 7 de mayo comunicó a los virreyes que estaba dispuesto a entregar la ciudad. Todo hace pensar que Toledo no habría tardado en seguir el ejemplo de Madrid de no haber surgido un acontecimiento imprevisto que obligó a los virreyes a interrumpir su marcha hacia el sur. En efecto, la invasión de Navarra por un ejército francés obligó al grueso de las fuerzas imperiales a retroceder apresuradamente hacia el norte. Se pensaba que el cansancio de la lucha y las tropas del prior de San Juan serían suficientes para reducir a los toledanos. Las nuevas circunstancias permitieron a doña María Pacheco volver a organizar una ciudad totalmente desmoralizada y prolongar durante más de nueve meses la vida del movimiento comunero en Toledo.

La invasión francesa en Navarra sorprendió a los virreyes desprevenidos, a pesar de que se les había advertido varias veces al respecto. El 10 de mayo de 1521 un fuerte ejército francés formado por 12.000 infantes, 800 caballeros y 29 piezas de artillería se lanzó al asalto de Navarra. La baja Navarra se levantó inmediatamente en apoyo del pretendiente Enrique de Albret cuya causa defendían teóricamente los franceses; San Juan de Pie de Puerto capituló el 15 de mayo. El ejército invasor atravesó los Pirineos por Roncesvalles. La facción de los Agramonteses, partidarios de los Albret, se unió a las fuerzas francesas. La población de Pamplona envió el 19 de mayo una delegación al señor de Esparre, jefe del ejército francés, y el mismo día los procuradores de Pamplona prestaron juramento de fidelidad a Enrique de Albret. La guarnición española de Pamplona capituló al cabo de unos días de resistencia. El 29 de mayo, Tudela juró también fidelidad a Enrique de Albret; los franceses se apoderaron además de Estella.

En menos de tres semanas todo el reino de Navarra había sido conquistado, pero el señor de Esparre cometió una serie de equivocaciones de tipo político y militar que hicieron variar sustancialmente la situación. En primer lugar, la ausencia del joven rey de Navarra, Enrique de Albret, produjo el descontento entre la población. El general francés se negó a permitirle ir a Pamplona y se comportó como en un país conquistado. La población comenzó a sospechar que el rey de Francia quisiera conservar Navarra para sí. Esparre sometió a duro trato a los navarros que se habían comprometido al servicio de Castilla. Con esta actitud hizo que disminuyeran las adhesiones hacia su política y que creciera la hostilidad contra él. Por otra parte, licenció a los infantes, atravesó el Ebro e invadió la misma Castilla, y llegó a sitiar Logroño. Pero por primera vez desde el 10 de mayo se encontró con una seria resistencia.

Los virreyes, en efecto, reaccionaron sin tardanza enviando refuerzos, aportados con frecuencia por las ciudades que en otro tiempo habían combatido al poder real. Parece indudable que este ardor patriótico no fue siempre tan espontáneo como muchos han pretendido; de hecho, las ciudades intentaban que se olvidara el pasado y difícilmente podían oponerse a la leva de tropas. Algunos jefes comuneros aprovecharon también esta ocasión para redimirse y se enrolaron en la guerra de Navarra. Tal fue el caso, por ejemplo, de don Pedro Girón. Entonces los franceses se encontraron con un ejército dispuesto a luchar contra ellos. El 11 de junio Esparre levantó el sitio de Logroño y se batió en retirada perseguido por las tropas castellanas. Se negó a pedir ayuda a los contingentes acantonados en Bearn a las órdenes de Enrique de Albret, pese a que iba a librar batalla contra un ejército tres veces superior en número, el 30 de junio en Noaín. El ejército francés, sin poder disponer de la suficiente artillería, fue derrotado por completo. Sus pérdidas fueron de más de 6.000 muertos y el mismo Esparre fue hecho prisionero. Navarra fue así reconquistada con la misma facilidad con la que había sido perdida.

La invasión francesa obligó a los virreyes a prestar toda su atención y a concentrar sus fuerzas en el norte de la península. Esto permitió un respiro a los rebeldes toledanos, que vieron cómo se alejaba un peligro que les acechaba desde la derrota de Villalar. Los acontecimientos de Navarra les impulsaron a mantenerse firmes y a mostrarse particularmente exigentes en sus relaciones con los representantes del poder real. Por iniciativa de doña María Pacheco se habían iniciado contactos con los franceses durante el verano de 1521. La viuda de Padilla desempeñó un papel fundamental en los meses que siguieron la derrota de Villalar. La llegada del obispo Acuña a Toledo la había relegado a un segundo plano, pero en mayo de 1521 volvió a tomar en sus manos la dirección del movimiento comunero con una autoridad acrecentada, casi dictatorial. Doña María se instaló en el alcázar y para insuflar nuevo coraje a la población hizo desfi-

lar por las calles de la ciudad a sus partidarios al grito de:
«¡Padilla! ¡Padilla!» Ella designó a las autoridades municipales e
implantó nuevos impuestos y contribuciones obligatorias. Sus
hombres de confianza recorrían todas las parroquias para mantener el ardor militar entre la población y, cuando la asamblea
general de la comunidad daba señales de debilidad, inmediatamente los fieles de doña María acudían para asegurarse la mayoría. Ella dirigía; ella sola llevó las negociaciones con el prior de
San Juan, y fue ella quien decidió la firma del acuerdo cuando
la resistencia se hizo totalmente imposible. Hasta el desastre del
3 de febrero de 1522 doña María Pacheco fue la auténtica
dueña de la ciudad; en ella se encarna la llama vacilante del
movimiento comunero.

Su tarea no fue nada fácil. En mayo la población estaba
desmoralizada. La derrota, la ejecución de Padilla, la deserción
de Madrid habían provocado una tremenda angustia en la ciudad. La Comunidad parecía acabada; sólo pensaba ya en evitar
lo peor, una represión sangrienta por parte de las tropas del
prior que se hallaban acampadas a sólo unas leguas de distancia.
Los comuneros y el propio Acuña, que se encontraba todavía en
la ciudad, pidieron la mediación del marqués de Villena. Esta
situación cogió a los virreyes desprevenidos. Las restantes ciudades habían negociado su rendición directamente, o bien por
medio de personalidades locales. La intervención del marqués
de Villena tenía un alcance muy distinto, y gracias a ella Toledo
podía esperar condiciones más favorables. El marqués se dirigió
a Toledo, donde entró en contacto con los dirigentes de la
Comunidad; el obispo Acuña desapareció por aquellas mismas
fechas.

Pero estas buenas disposiciones no duraron mucho tiempo. La invasión de Navarra obligó a los virreyes a dirigir su

ejército hacia el norte, circunstancia que llevó a los comuneros a endurecer su posición, pensando que con las fuerzas de que todavía disponía Toledo podía hacer frente a los ataques del prior de San Juan. Los virreyes, mientras tanto, no acababan de ponerse de acuerdo. ¿Era necesario y conveniente obtener a cualquier precio la rendición de Toledo, para poder concentrar todos los esfuerzos en la lucha contra las tropas francesas o, por el contrario, debía quedar una pequeña tropa en las inmediaciones de Toledo para imponer respeto a la población? El marqués de Villena, desorientado, decidió abandonar la partida, no sin antes manifestar cierto desprecio por quienes lo habían embarcado en el asunto. No obstante, es cierto que algunos lo acusaron de haber impedido con su intervención inesperada la rendición de Toledo. Los virreyes, a la sazón en Logroño, ordenaron al prior de San Juan que prosiguiera las negociaciones, pero poco después anularon la orden. De cualquier modo, el momento oportuno para conseguir la sumisión de Toledo había pasado ya. A partir del 15 de junio se produjo la reacción de doña María Pacheco, que hasta entonces se había mostrado dispuesta a capitular. Se instaló en el alcázar y volvió a tomar el control de la situación; ya no se pensaba en la rendición.

A finales de julio se produjo una ruptura entre los comuneros de Toledo; algunos, considerando que toda resistencia era inútil, abandonaron a doña María Pacheco. Calificados de sospechosos, tuvieron que ocultarse en los conventos, a la espera de la caída de la orgullosa mujer. Toledo se replegó entonces sobre sí misma, aunque sin romper totalmente sus lazos con el exterior. El largo asedio acabó desmoralizando por completo a la población de Toledo, pero doña María Pacheco seguía mostrándose inflexible. La ciudad se preparó para afrontar una larga resistencia. Todos los conventos, tanto de hombres como de mujeres, recibieron la visita de varios inspectores que se hicieron con el oro y la plata que encontraron; las religiosas eran registradas minuciosamente y obligadas a entregar todas sus alhajas y su dinero.

Don Esteban Gabriel Merino, arzobispo de Bari, se instaló por aquellas fechas en el monasterio de la Sisla y en nombre del prior entabló contacto con los rebeldes. Doña María transmitió proposiciones para que fueran sometidas a los virreyes; el prior y el arzobispo estaban dispuestos a llegar a un acuerdo a *todo trance*. El tiempo apremiaba; todos los días se producían deserciones y la llegada del invierno hacía temer nuevas complicaciones; muy pronto sería imposible vadear el Tajo, debido a la crecida del caudal del río, lo que obligaría a mantener dos ejércitos en vez de uno, uno a cada lado del río, con el consiguiente aumento de los gastos. Los virreyes, siempre preocupados por la situación en el norte del país, se resignaron a negociar, incluso en condiciones desfavorables. Por tanto, no es extraño que las negociaciones avanzaran con rapidez, ya que en menos de diez días se llegara a un acuerdo relativamente favorable a los rebeldes, que fue firmado el 25 de octubre por el prior, de un lado, y por los representantes de Toledo, por el otro. A corto plazo el mérito mayor del acuerdo era su utilidad para poner fin al conflicto en el área del Tajo. Cuando la situación en el norte fue menos comprometida, los virreyes encontraron puntos inaceptables en este texto y trataron de anularlo. La noticia del compromiso alcanzado con las fuerzas realistas fue bien acogida en Toledo, donde la población manifestó abiertamente su alegría. El 31 de octubre hizo su entrada en la ciudad el arzobispo de Bari, y designó a los funcionarios municipales que deberían encargarse de la administración de la ciudad hasta que se nombrara un corregidor. Por su parte, los comuneros evacuaron el alcázar.

Todo parecía desarrollarse conforme a lo acordado y sin segundas intenciones. Pero a lo largo del mes de noviembre la situación comenzó a deteriorarse debido a que los virreyes, que nunca habían demostrado gran entusiasmo por la situación de compromiso que se había alcanzado —y que habían aceptado ante la imposibilidad de aplastar la rebelión por la fuerza de las armas—, comenzaron a mostrar su disgusto en cuanto la presión de las tropas francesas se hizo menos agobiante en el norte de la península. Los representantes del poder real buscaron la oportunidad que les permitiera denunciar el acuerdo.

Así se llegó a la revuelta del 3 de febrero de 1522. El doctor Zumel, corregidor nombrado por los virreyes, no hacía sino provocar a los antiguos comuneros. Él había recibido instrucciones precisas en el sentido de restablecer por completo la autoridad real en la ciudad. Doña María Pacheco, por su parte, no estaba dispuesta a entregar sus armas hasta que Carlos V hubiera ratificado personalmente el acuerdo de octubre. En la tarde del domingo 2 de febrero Gutiérrez López de Padilla fue a visitar en su nombre al arzobispo de Bari para solicitar su mediación, quien intentó persuadirlo de que lo más sensato era someterse a las exigencias de Zumel. Parecía imposible ya evitar un enfrentamiento armado; todas las calles adyacentes a la morada del arzobispo estaban ocupadas por soldados.

A la mañana siguiente éste intentó una última gestión pidiendo a sus interlocutores de la víspera que se reunieran con él con urgencia. Pero éstos contestaron que ya no tenía sentido seguir parlamentando. Zumel exigía ahora la cabeza de doña

María, último símbolo visible de la revolución. Los comuneros comprendían perfectamente que todo estaba perdido, pero se negaron a entregar a la viuda de Padilla; el último combate sería el combate del honor.

A continuación exponemos el testimonio de doña María arengando a la multitud concentrada delante de su ventana:

Mirad, hermanos, este perdón no es verdadero; mirad no os engañen, que quieren pregonar las alcabalas e sobre esto avemos de morir todos, e que se auía de dar parte a las perrochias.

Dezía doña María a la gente que allí estaua que el perdón que el arçobispo dezía que le viesen con los capítulos del perdón del prior e sy no hera que lo comunicasen con sus perrochias[30].

El enfrentamiento se produjo al mediodía, cuando las autoridades ordenaron apresar a un agitador. Los comuneros ocuparon la calle con la manifiesta intención de oponerse a la ejecución. Se dirigieron a la cárcel produciéndose un enfrentamiento con los soldados que pretendían cerrarles el camino.

La lucha se prolongó durante más de tres horas hasta que doña María de Mendoza, condesa de Monteagudo y hermana de doña María Pacheco, solicitó una tregua, concedida de inmediato, tregua que significó la derrota de los comuneros. Doña María Pacheco consiguió escapar después del tumulto. Salió de la ciudad, disfrazada, y se refugió en Portugal.

El enfrentamiento del 3 de febrero y la huida de doña María sellan el fin del movimiento comunero en Castilla. La resistencia comunera cedió definitivamente en todas partes.

---

30 Archivo General de Simancas, *Consejo Real,* leg. 268, fol. 21.

Los canónigos de Toledo hicieron grabar una inscripción en el claustro de la catedral conmemorando el retorno de la paz a la ciudad. El doctor Zumel, encargado de llevar adelante la represión, tenía ahora plena libertad de acción. Su primera decisión fue demoler la casa de Padilla, donde mandó erigir una columna con una placa que recordaba las desgracias causadas en el reino por la instigación de Padilla y sus cómplices.

Durante dos meses Zumel persiguió despiadadamente a los comuneros que quedaban en la ciudad. En abril su labor había terminado. Toledo había vuelto al orden.

V. LA CASTILLA COMUNERA

EL PERDÓN GENERAL DE 1522

La represión comenzó inmediatamente después de la batalla de Villalar con la ejecución de los jefes militares de la insurrección, y proseguiría durante varios años. En los primeros momentos los virreyes, divididos entre el deseo de castigar a los responsables y la preocupación de no hacer caer a las ciudades en la desesperación, siguieron una política poco coherente. Enfrentados sobre la postura que se debía adoptar, severos con algunos meros comparsas y sensibles a la protección de que gozaban algunos comuneros de renombre, se limitaron a restablecer el orden en el reino, lo que llevaron a cabo con notable éxito. A su regreso a Castilla Carlos V se encontró con un país en el que todavía se veían huellas de la pasada conmoción, pero en el que el peligro de revueltas había desaparecido por completo.

Carlos V desembarcó en España el 16 de julio de 1522 y se dirigió inmediatamente a Palencia, donde permaneció la Corte durante casi dos meses. Bajo la dirección personal del emperador la represión contra los comuneros adquirió entonces un ritmo más intenso: en tres meses casi cien condenas serían pronunciadas y más de quince comuneros ejecutados. Apenas llegado a Castilla, el soberano desvaneció las esperanzas que todavía conservaban algunos rebeldes, confiados en la protección de los virreyes o de amigos poderosos. Pronto quedó claro que el emperador no estaba predispuesto a la clemencia. Don Pedro Girón y don Pero Laso de Vega así lo comprendieron y desaparecieron de inmediato en la clandestinidad. Menos afortunados, los rebeldes que estaban encarcelados —una minoría— fueron juzgados de inmediato y un mes después del regreso de Carlos V subían al cadalso. La más célebre víctima de aquel rigor fue el capitán comunero de Salamanca, don Pedro Maldonado, cuyo primo hermano, Francisco Maldonado, había sido ya ejecutado en Villalar con Padilla y Bravo. Don Pedro Maldonado, encarcelado en Simancas, hubiera podido escapar fácilmente; renunció a ello porque esperaba conseguir la gracia del soberano. Muy pronto se desengañó. En agosto de 1521 una orden formal de la Corte recomendaba al alcaide de Simancas que vigilara de cerca a su prisionero. Un año después el Consejo Real lo juzgaba en Palencia, y lo condenaron a muerte. El 13 o el 14 de agosto de 1522 don Pedro Maldonado salió de su cárcel montado en una mula y encadenado para ser ejecutado en la plaza pública de Simancas.

Carlos V permaneció en Palencia hasta que los tribunales hubieran terminado la parte más importante de su tarea. Después de esto se trasladó a Valladolid, donde promulgó solemnemente el Perdón el 1 de noviembre, una amnistía mucho más limitada que la de los virreyes. El Perdón hacía en primer lugar un rápido relato de los acontecimientos ocurridos en Castilla entre el 1 de junio de 1520 y el 23 de abril de 1521. La gravedad de los delitos cometidos autorizaba al emperador a castigar con la máxima dureza a todos los individuos y colectividades culpables de haber provocado o apoyado la insurrección. Sin embargo, el rey estaba dispuesto a mostrarse clemente. No olvidaba que muchas ciudades le habían permanecido leales y que aquellas que se habían declarado en rebeldía al final habían depuesto su actitud, colaborando además positivamente en la expulsión del ejército francés invasor de Navarra.

El Perdón enumeraba a todos cuantos quedaban excluidos de él en razón de su responsabilidad especialmente grave. Era una larga relación de 293 comuneros encabezada por los nombres más relevantes (el conde de Salvatierra, don Pedro Girón) y que terminaba con tres oscuros criados y vasallos del duque de Nájera. En ella aparecían los jefes militares, los procuradores de la Junta, los funcionarios de la Junta o de las juntas locales, los eclesiásticos comuneros, etc. Todas las categorías sociales se hallaban representadas en ella, pero en conjunto el mayor número de víctimas correspondía a lo que podríamos llamar las capas sociales medias. Este Perdón era en principio mucho más riguroso que las amnistías parciales concedidas por los virreyes después de Villalar. En la lista fatal figuraban varios comuneros arrepentidos que habían abandonado la Junta o la habían traicionado. A los 293 exceptuados conviene añadir otros, ya que el Perdón especificaba que la amnistía no se aplicaría a quienes hubieran sido condenados en rebeldía hasta el 28 de octubre de 1522, incluso si la sentencia no había llegado a ejecutarse. La amnistía tampoco beneficiaba a los tenientes de capitanes y alféreces y veedores del ejército real que se habían pasado al bando de los rebeldes. En cuanto a los escuderos del ejército real que habían combatido en Villalar, sólo se los perdonaba parcialmente.

En realidad, la severidad que caracterizó el período que media entre el regreso del emperador y la proclamación del Perdón se suavizó en los meses y años siguientes. Los liberales del siglo XIX han exagerado mucho el rigor de la represión. De un total de 293 exceptuados a quienes el Perdón de 1522 condenó a ser juzgados, únicamente 23 fueron ejecutados, 20 comuneros murieron en la cárcel antes de ser juzgados y aproximadamente 50 pudieron rehabilitarse mediante el pago de una multa de composición; absoluciones y amnistías sucesivas devolvieron de forma gradual la libertad a casi cien proscritos.

Sin embargo, la clemencia del emperador tuvo sus límites. Don Pero Laso de la Vega y don Pedro Girón tuvieron que esperar varios años antes de conseguir un perdón definitivo; doña María Pacheco y el obispo de Zamora nunca llegaron a obtenerlo. La primera murió en exilio, en el reino vecino de Portugal. En cuanto a Acuña, encarcelado en Simancas, lógicamente debía haber compartido la suerte de don Pedro Maldonado y ser ejecutado en agosto de 1522, pero su calidad de príncipe de la Iglesia le permitió obtener un trato especial y un aplazamiento, que habría podido prolongarse quizá hasta asegurarle la inmunidad definitiva si él mismo no hubiera complicado la situación con una tentativa de fuga acompañada del asesinato de su carcelero. Aquella circunstancia decidió a Carlos V a pasar por encima de todas las inmunidades eclesiásticas y a ordenar la ejecución del obispo, el 24 de marzo de 1526. En efecto, el emperador siguió personalmente hasta el último momento el proceso de Acuña, resistió todas las presiones y recomendaciones y multiplicó las gestiones para superar los obstáculos. Al ordenar la muerte del obispo, puso al Papa ante los hechos consumados sin disimular la gravedad de un gesto cuya responsabilidad aceptó plenamente; se consideró como excomulgado por haber mandado ejecutar a un prelado y, a la espera de la absolución papal —que no tardó en llegar—, se abstuvo de acudir durante algún tiempo a las iglesias.

A grandes rasgos fueron unos cien comuneros o quizá menos los que finalmente pagaron, poco o mucho, su participación en la rebelión, a pesar de que no en todos los casos se trataba de los mayores responsables. Los demás consiguieron salvar su vida y muchas veces también una parte de sus bienes, y casi siempre obtuvieron una libertad vigilada en mayor o menor medida. Tratándose de una revolución que puso en cuestión los fundamentos del Estado y amenazó con subvertir el orden social establecido, la represión no fue excesivamente dura, al menos en el nivel individual. Un hecho es incuestionable: los comuneros que consiguieron escapar al castigo quedaron apartados para siempre de los cargos públicos. Estos hombres habían demostrado tener el gusto de la acción y de la política. Muy a menudo se reclutaban entre las clases medias urbanas. No creemos que sea exagerado afirmar que Castilla perdió con el fracaso de las Comunidades parte de su elite política, la más dinámica, quizá la más ilustrada.

Otras consecuencias de la represión afectaron a la nación en el plano colectivo. El perdón tenía validez sólo en el aspecto criminal («en cuanto toca a lo criminal»); en el aspecto civil el documento del 1 de noviembre de 1522 reservaba los derechos de la corona y de los particulares a obtener reparación e indemnización de los daños sufridos durante la revolución. De esta forma las rentas del Estado, los impuestos incautados por los rebeldes, tendrían que ser restituidas por los antiguos comuneros o por los municipios. Asimismo, los bienes de particulares (por ejemplo, los de los nobles o colectividades —la catedral de Segovia destruida en los combates—) incautados o destruidos tendrían que ser indemnizados. Esta cláusula va a dar lugar a innumerables procesos que repercutirán mucho en la economía general de Castilla. El almirante de Castilla, por ejemplo, exigió

Tiziano, Carlos V con perro, *Museo del Prado, Madrid*.

ser indemnizado por los daños causados en su fortaleza de Torrelobatón y por los gastos que había tenido en Medina de Rioseco desde el 15 de octubre de 1520. No perdonó nada: la paga de las guardias, la cera gastada de noche, las espías, las reparaciones, las cerraduras que hubo de renovar, etc. Todo ello alcanzaba a 1.451.959 maravedíes, únicamente para la ciudad de Medina de Rioseco, en la que no hubo combates ni por consiguiente destrozos. El almirante pidió para los destrozos de Torrelobatón 14.683.217 maravedíes. Por su parte, el conde de Chinchón reclamó 37 millones; la justicia le concedió primero 11.540.287 y más tarde rebajó la cantidad a 9.818.441. El obispo de Segovia necesitaba 7 millones para reconstruir la catedral, etcétera.

Hubo cientos de procesos de este tipo, lo cual significaba cantidades enormes de dinero. ¿Quién tendría que pagar estas indemnizaciones? En teoría, los culpables, cuando se llegaba a saber quiénes eran y cuándo podían pagar y a condición de que no figurasen en la lista de exceptuados del perdón, porque, en tal caso, los bienes se confiscaban para el fisco real. Cuando los culpables no eran individuos bien identificados, sino una multitud anónima, el problema rayaba en lo imposible: ¿cómo saber el nombre de todos los soldados comuneros que estuvieron presentes en la toma y el saqueo de Torrelobatón? No había más remedio que acudir al principio de la responsabilidad colectiva. Los jueces determinaban la cantidad global de las indemnizaciones, registraban los principales comuneros de tal o cual localidad, de ser posible los más ricos y solventes, y señalaban qué cantidad debería pagar cada uno; lo que faltase, el ayuntamiento tendría que arreglárselas para pagarlo: podía proceder por vía de repartimiento, como se solía hacer para los servicios ordinarios y extraordinarios, o por vía de tasas extraordinarias

—sisas— sobre artículos de consumo corriente (carne, vino, aceite...).

Resulta casi imposible hacer un balance de las consecuencias fiscales de las Comunidades. Lo cierto es que aquellas indemnizaciones representaron una carga enorme durante más de veinte años para las ciudades que habían sido comuneras. La economía local debió de resentirse duramente de ello. En 1524, por ejemplo, vemos a los industriales de Segovia poner el grito en el cielo: de creerlos, la sisa hubiera sido muy ligera sobre los artículos de consumo corriente como la carne, pero pesaba enormemente sobre las materias primas y los productos necesarios a la industria textil (jabón, aceite, pastel...). Está claro que la industria textil de Segovia no desapareció como consecuencia de aquella situación, pero también que semejante situación no debió de favorecerla y obligó a mantener unos precios muy elevados que no podían competir con los productos extranjeros. De un modo general la economía del centro de Castilla se vio muy afectada por las consecuencias económicas de la derrota comunera; ya no se volverá a hablar de cambiar la organización del mercado de la lana. Después de 1521 se vuelve a una política favorable a las exportaciones. Ya no será fácil crear en Castilla una industria textil dinámica. Hordas de vagabundos, de mendigos, de parados, se desplazan de una ciudad a otra, a pesar de la reglamentación restrictiva, de las protestas de las Cortes y de las Ordenanzas para organizar la caridad pública y privada y obligar a los que pueden hacerlo a trabajar.

Toda la legislación choca con un obstáculo: la falta de puestos de trabajo para emplear a los ociosos y vagabundos. Después de 1520 Castilla parece condenada al subdesarrollo; prefiere exportar la materia prima y comprar en el extranjero productos manufacturados que bien hubiera podido fabricar. Esta situa-

ción es la que habían denunciado en 1516 Pedro de Burgos y
Rodrigo de Luján; ésta es la que los comuneros querían remediar.

EL MARCO GEOGRÁFICO DE LAS COMUNIDADES

El Perdón de 1522 permite aclarar además un aspecto fundamental del movimiento comunero: su ámbito geográfico. La
rebelión presenta aspectos sobre los cuales conviene detenerse.
En primer lugar, las comarcas que constituyen su escenario.
Ninguna región de España se vio libre por completo de la agitación de 1520-1521. Prácticamente en todas partes las mismas
causas engendraron la inquietud y el descontento; la partida del
rey, la animadversión contra un virrey extranjero, los nuevos
impuestos...

En todas las regiones de la corona de Castilla se produjeron
una serie de incidentes más o menos graves. ¿Es válido atribuir
la responsabilidad de todos estos incidentes y levantamientos a
la subversión de los comuneros? Todas las víctimas de estas
inquietudes, los corregidores, los jueces, los recaudadores de
impuestos, pequeños y grandes señores, todos los que vieron
cómo se les oponían su administrados, sus justiciables, sus contribuyentes o sus vasallos tendieron a señalar en bloque a la
Comunidad como la culpable de sus desgracias. Es cierto que
los comuneros supieron explotar en su provecho todos los des-
contentos. Su propaganda incidía en un terreno abonado; no es
sorprendente, pues, que obtuvieran éxitos notables. Los contemporáneos comparaban a menudo la rebelión a una epide-
mia: enfermedad pegadiza de la que no se libraba ningún sector
ni región alguna. Y no obstante es importante dar al movimien-

to comunero una definición más precisa, so pena de verlo diluirse en un sinfín de pequeñas agitaciones locales mal coordinadas. Una simple revuelta no significaba que la ciudad en la que se produjera hubiera abrazado la causa comunera. Por consiguiente, no hablaremos de auténtico movimiento comunero sino en los lugares donde concurran dos circunstancias concretas:

—La sumisión a la Junta General, reconociendo su autoridad en materia administrativa, fiscal, judicial, política, militar y religiosa.

—La sustitución de las autoridades locales por una administración revolucionaria de carácter más representativo.

Partiendo de tales presupuestos podemos afirmar que la rebelión se extendió preferentemente por las cuencas del Duero y del Tajo. Después de algunas vacilaciones, situó su capital en Valladolid, en el mismo corazón de Castilla la Vieja. Su influencia es menor cuanto más nos alejamos de este centro de gravedad. Galicia, Extremadura y Andalucía permanecieron relativamente en calma; el reino de Murcia y el País Vasco se vieron afectados con más intensidad y fueron las dos Castillas las que aportaron, hasta los últimos compases de la insurrección, los dirigentes, las tropas y el dinero. Así era en realidad cómo uno de los virreyes, el condestable, veía la situación: «Todo cuanto hay de aquí [Briviesca] a la Sierra Morena, todo está levantado (30 de septiembre de 1520); todo el daño está en medio del reino (3 de febrero de 1521).» Así pues, la insurrección de las Comunidades aparece como un fenómeno típicamente castellano, con ciertos matices que habremos de tener en cuenta, ya que

Burgos, la capital histórica de Castilla, desertó muy pronto del bando de la rebelión.

Galicia se mantuvo al margen de los graves problemas que se debatieron en las Cortes de La Coruña. La partida del rey no provocó ninguna manifestación popular y no fue sino en el mes de agosto cuando se dejaron sentir los primeros síntomas de descontento contra los nuevos impuestos. El 10 de agosto la población de Santiago de Compostela recorrió las calles de la ciudad al grito de: «¡Libertad! ¡Libertad!», lo cual no era la manifestación de una reivindicación de tipo político sino tan sólo la protesta contra una fiscalidad excesiva, como ya se precisaba en los informes respecto a estos incidentes. Simple agitación antifiscal, en suma. Esto ocurría el 10 de agosto, es decir, antes del incendio de Medina del Campo, que en otras regiones contribuyó decisivamente a robustecer la autoridad de la Junta. Ésta, desde luego, intentó ganar a Galicia para la causa, pero en vano. Sus emisarios ni siquiera fueron recibidos. No obstante, los magistrados y señores locales permanecían alerta y, a principios de diciembre de 1520, el arzobispo Fonseca convocó una asamblea general de los señores de Galicia. Todos asistieron a ella o enviaron una representación: el conde don Hernando de Andrade, el conde de Benavente, el marqués de Astorga, la condesa de Lemos, el conde de Altamira, el obispo de Lugo...

En definitiva, «los señores y caballeros de este reino de Galicia que en él tienen parte y vasallos». La asamblea acordó el 4 de diciembre redactar un manifiesto. Era importante mantener a la provincia al margen del movimiento insurreccional, defender las prerrogativas reales, pero también hacer frente a la agitación antiseñorial. Todos estos aristócratas se comprometieron a defenderse mutuamente en caso necesario. En contrapartida, solicitaron para Galicia el derecho a tener representación en las Cortes y el establecimiento en La Coruña de una Casa de Contratación para canalizar el comercio con América, similar a la que ya funcionaba en Sevilla.

La Junta no llegó a tener nunca gran influencia en Galicia. El acuerdo del 4 de diciembre no iba dirigido tanto a defender el poder real como a mantener y quizá reforzar un régimen señorial que comenzaba a ser discutido. Esto lo vio perfectamente el conde de Fuensalida, también aristócrata, pero que no tenía intereses en Galicia:

> Es cierto que la mayor parte de tener alteración en él [reino de Galicia] ha sido la gana que los vasallos del arzobispo y conde don Fernando [de Andrade] y otros caballeros han tenido que levantarse contra ellos y el muy buen aparejo que hallaban en los vecinos para ayudarlos y como hay pocos lugares realengos y tienen temor por lo que han visto los tiempos pasados que estos señores han de meter la mano en usurpar algo de lo suyo [...]. Estos capítulos [el manifiesto de 4 de diciembre] no fueron por el reino sino por personas particulares[31].

Y Fuensalida proseguía: muchos piensan que el arzobispo Fonseca y el conde Andrade intentan aumentar su poder hasta llegar a dominar Galicia. Así, por ejemplo, el conde pretende percibir las alcabalas en Betanzos, ciudad real. Ésta era la finalidad que perseguían los señores gallegos. Temían —y no sin razón— una posible pérdida de sus derechos señoriales. Agitación antifiscal y movimiento antiseñorial —por una parte rápidamente controlados—, a esto quedó limitada la agitación en Galicia en 1520-1521. Los comuneros supieron explotar en

---

[31] Carta del conde de Fuensalida al cardenal Adriano, Lugo, 5 de mayo de 1521 (Archivo General de Simancas, *Patronato Real,* leg. 1, fol. 29).

otros sitios estas dos causas de descontento, pero en Galicia ni siquiera demostraron el menor entusiasmo en hacerlo. Esta región quedó pues al margen del movimiento comunero. La organización señorial era en ella extraordinariamente fuerte y muy antigua, ya que se remontaba a los primeros siglos de la Reconquista. Según Valdeavellano, Galicia es incluso la única región de Castilla en la que puede hablarse con cierta justeza de la existencia de un verdadero régimen feudal. El factor predominante en la estructura de la propiedad era la gran posesión laica o eclesiástica; los realengos eran muy poco numerosos y aislados de los centros castellanos. Podemos comprender pues que las ideas de los comuneros, hombres libres que residían en ciudades libres, no hallaran en Galicia sino muy débil eco. Y cuando los gallegos intentaron levantarse contra la opresión señorial encontraron ante ellos la muralla del poder de los señores, solidarios desde el 4 de diciembre para mantener el orden establecido.

Extremadura, más próxima que Galicia a los núcleos revolucionarios, no pudo mantenerse totalmente al margen de la guerra civil. La Junta General intentó difundir en ella sus hombres y sus ideas. En ocasiones obtuvo algunos éxitos locales, pero ni siquiera estas victorias están perfectamente claras.

La subversión no llegó a triunfar en Trujillo. La ciudad prestó oídos sordos a los requerimientos de la Junta. Las facciones rivales que en otro tiempo se enfrentaban enconadamente cesaron de forma momentánea en sus querellas; los virreyes temieron que el castillo pudiera caer en manos de los comuneros, pero la victoria de Tordesillas hizo reflexionar al alcaide. La ciudad escapó, pues, a la influencia de la Junta. También Badajoz se mantuvo fiel al poder real, a pesar de algunos enfrentamientos con el corregidor, cuya gestión fue duramente criticada por la población. Un regidor pidió incluso su sustitución. Los virreyes, antes de tomar una decisión, calcularon de forma escrupulosa los riesgos. El caso de Plasencia permite apreciar con más rigor los límites de una adhesión aparente a la Comunidad. Los incidentes se desataron en la noche del 27 de agosto cuando llegaron a la ciudad las noticias sobre el incendio de Medina del Campo. Grupos de hombres comenzaron a manifestarse por las calles a los gritos de «¡Comunidad! ¡Comunidad! ¡Viva la reina y el rey, nuestros señores, y la Comunidad!». Pese a las amenazas del cardenal Adriano, parece que Plasencia se unió al bando rebelde. Pero ¿era sincera esta adhesión? ¿Sería definitiva?

Desde hacía mucho tiempo Plasencia, como muchas otras ciudades en esta época, se hallaba dividida en dos facciones rivales que se vigilaban estrechamente. Plasencia parecía sometida a la Comunidad. Cuando las tropas realistas se apoderaron de Tordesillas, en el mes de diciembre, la ciudad exhortó a la Junta a proseguir sus tareas en Valladolid y a tomar venganza de los Grandes. Sin embargo, no debemos dejarnos engañar por este ardor revolucionario, en realidad vanas palabras. ¿Cuál fue la reacción de Plasencia cuando en marzo de 1521 la situación de los comuneros comenzó a hacerse más difícil? Cierto que continuó manifestando a la Junta su sentimiento de solidaridad, pero al mismo tiempo añadió que le resultaba imposible acudir en ayuda de Padilla. Tampoco podía aportar dinero, pues la cosecha había sido mala y había que pensar en comprar trigo. No podía enviar soldados porque Plasencia estaba rodeada de enemigos: Trujillo, Cáceres, Ciudad Rodrigo, el duque de Béjar, etcétera.

En cuanto a las ciudades de Andalucía se negaron resueltamente en julio de 1520 a enviar representantes a la Junta de

Ávila. Los comuneros volvieron a insistir después de haberse trasladado a Tordesillas, enviando mensajeros, monjes, propagandistas, provisiones redactadas en nombre de la reina. Durante varios meses la Junta se entregó a una intensa tarea de subversión al sur de Sierra Morena, pero sin conseguir más que escasos resultados. A finales de noviembre el cardenal Adriano podía afirmar: «Lo de Andalucía está bueno y pacífico y en toda obediencia, excepto Jaén, Úbeda y Baeza.»

En efecto, Jaén se sublevó el 19 de agosto, pero en circunstancias muy confusas. Hay quienes acusan a don Rodrigo Mejía de haber apoyado el movimiento; otros sostienen que Mejía no actuó, sino para tratar de evitar lo peor, es decir, el establecimiento de un gobierno municipal revolucionario. En resumen, su actitud sería similar a la adoptada por el condestable en Burgos en el mes de junio. Esta situación equívoca se sostuvo durante varios meses. Jaén mantenía correspondencia con la Junta, pero sin decidirse a participar en ella enviando representantes. Sin embargo, la comunidad dirigió en principio la ciudad. El cardenal Adriano, por su parte, trataba de ganar tiempo. Así, en enero de 1521 seguían todavía las conversaciones, y Jaén comenzaba a impacientarse. En definitiva, no se llegó a un acuerdo positivo, pese a lo cual Jaén no se decidió de forma definitiva por la Junta. Hasta el final de la guerra civil, constituyó pues un elemento de incertidumbre para los virreyes, que no podían contar con su lealtad. No obstante, tampoco la Junta esperaba nada de Jaén, ciudad indecisa, no neutral en realidad, sino manteniendo una actitud que parece confirmar la opinión del cronista Anghiera: expectativa, doble juego.

Úbeda y Baeza se sublevaron al mismo tiempo que Jaén. El corregidor no intentó resistir y abandonó sus poderes cuando en realidad nadie lo obligó a hacerlo. Dueños y señores de la ciudad, de esta guisa, los diputados de Úbeda eligieron el 20 de diciembre nuevos alcaldes y alguaciles que pretendían actuar en nombre del rey, pero no de la Comunidad, y que protestaban cuando se les hablaba de comunidad. De las informaciones incompletas y a menudo contradictorias que han llegado hasta nosotros podemos deducir que ambas ciudades se veían desgarradas por sangrientas luchas entre las facciones rivales.

Después de varios meses de calma absoluta Sevilla vivió también su estallido revolucionario. El domingo 16 de septiembre de 1520 don Juan de Figueroa, hermano del duque de Arcos, se proclamó «capitán general del rey y de la comunidad». Sus hombres recorrieron las calles leyendo proclamas en las que se invitaba a la población a unirse a la comunidad. Don Juan destituyó a los funcionarios municipales y a continuación se dirigió hacia el alcázar acompañado de un grupo fuertemente armado. Una vez allí obligó al alcaide a abandonar su puesto y estableció en él su cuartel general. Sorprendidas en principio por este golpe de fuerza cuidadosamente preparado, al día siguiente, las autoridades reaccionaron y con la ayuda del duque de Medina Sidonia, que puso a disposición todos sus efectivos, se lanzaron al asalto del alcázar, que fue reconquistado tras cuatro horas de duro combate. Don Juan de Figueroa fue hecho prisionero, entregado a la justicia y posteriormente sometido a una estricta vigilancia en casa de su hermano, el duque de Arcos. Algunos meses más tarde lo veremos integrado en las filas de la Comunidad en los campos de batalla de Castilla la Vieja. En apariencia la interpretación de estos hechos es sencilla: Sevilla se declaró en comunidad un buen día, pero dado que las circunstancias eran desfavorables, la situación volvió de inmediato a la normalidad. Pero si consideramos más a fondo la cuestión, la realidad era mucho más compleja. ¿Fue un golpe de fuerza organizado por los elementos comuneros? Lo cierto es que los verdaderos protagonistas de los sucesos del 16 y 17 de septiembre fueron dos clanes rivales: don Juan de Figueroa, de la familia de Arcos, y el duque de Medina Sidonia, en tanto que los funcionarios reales no fueron otra cosa que meros comparsas.

La rapidez con que reaccionó el duque de Medina Sidonia demuestra que se sentía amenazado muy directamente. Desde hacía mucho tiempo su familia se encontraba enfrentada a la del duque de Arcos en su intento de dominar Sevilla. Nos sentimos inclinados a explicar la revuelta del 16 de septiembre como un simple episodio más del conflicto permanente que oponía a las dos grandes familias de la capital andaluza, ambas aquejadas por los difíciles problemas de adaptación que les planteaba la transformación económica de Sevilla. Así se explican las características del levantamiento del 16 de septiembre, atribuido con mucha ligereza a la comunidad: su carácter aristocrático y demagógico a un tiempo, su aspecto de conspiración contra los conversos y también su rápida represión. Don Juan de Figueroa no se apoyaba en la población; era necesario algo más, ya lo veremos en Castilla, para asegurar la victoria de una auténtica revolución.

Sabemos lo que fue desde un principio la actitud de Córdoba: negativa a dejarse arrastrar a una situación ilegal, y voluntad afirmada en diferentes ocasiones de acatar la autoridad del emperador y de sus representantes. Incluso cuando, a raíz del incendio de Medina del Campo, el Consejo Real se sumió en un descrédito total y la autoridad de la Junta se afirmó de manera decisiva, Córdoba rechazó los requerimientos de Burgos y se ofreció a conceder asilo al cardenal Adriano y a los miembros del Consejo Real. En cuanto a las demás ciudades de Andalucía no presentan ninguna señal especial de inquietud. En Granada el marqués de Mondéjar controlaba muy de cerca la situación, y ofreció con eficacia su concurso para reprimir cualquier agitación en Cazorla, Baeza, Huéscar y Ronda.

Andalucía no sólo se mantuvo al margen del movimiento de las Comunidades, sino que además adoptó las medidas necesarias para resistir a la rebelión en forma colectiva. En este sentido hay que interpretar la formación de la liga de La Rambla en el transcurso del invierno. Desde Granada el marqués de Mondéjar no había dejado de alertar a la nobleza y a las ciudades andaluzas contra los intentos de seducción de los comuneros de la Junta. Sin embargo, la idea de agrupar las ciudades leales a la causa del rey nació de Córdoba, posiblemente inspirada por su corregidor, don Diego Osorio, que no era otro que el hermano de Acuña. Osorio en el anterior mes de junio había presenciado los sangrientos incidentes de Burgos. Así, desde octubre de 1520, Córdoba, Sevilla y Jerez decidieron concertarse para tratar de buscar los medios más eficaces en orden a combatir la propaganda revolucionaria. Se proyectó la formación de una liga de las ciudades andaluzas, como respuesta a la Junta de Tordesillas. A estas ciudades se las invitó a enviar sus representantes a La Rambla, pequeña localidad situada a sólo cinco leguas de Córdoba. Los trabajos de la asamblea comenzaron el 20 de enero de 1521 y condujeron a una declaración común que precisaba la posición de las ciudades leales de Andalucía frente a la rebelión. Sevilla, Córdoba, Jaén, Jerez de la Frontera, Écija, Carmona, Cádiz, Antequera, Gibraltar, Andújar y Ronda, además de los territorios del maestrazgo de Calatrava situados en Andalucía, decidieron enviar sus representantes a La Rambla.

Las ciudades representadas proclamaron su firme intención de unirse para resistir de la forma más eficaz posible a todo intento de subversión. Los puntos esenciales del acuerdo eran los siguientes:

—Fidelidad al emperador y a sus virreyes.

—Mantenimiento del orden en las ciudades representadas.

—Apoyo a los corregidores y representantes del poder real.

—Proscripción de los agitadores.

—Mantenimiento en sus funciones de los corregidores cuyo mandato llegara a su fin.

—Negativa a recibir las cartas de la Junta.

—Alianza militar para hacer frente a un eventual ataque por parte de la Junta.

—Alianza militar contra un posible levantamiento de los moriscos de Granada o contra una invasión de los musulmanes de África.

—Alianza militar contra toda tentativa de subversión interna.

—Precauciones contra las concentraciones de soldados que pudieran llevar a cabo los nobles.

—Llamamiento a las ciudades rebeldes.

—Llamamiento al rey para que viniese rápidamente a Castilla.

—La liga formada en aquel momento se disolvería en el momento del regreso del emperador.

—Poner en pie de guerra un contingente de caballería e infantería para poder cumplir los compromisos contraídos. Se trataba de un ejército de 890 caballeros y 4.200 infantes el que debía ser puesto a disposición de la liga.

En la práctica la liga no tuvo oportunidad de demostrar el alcance de su fuerza, ya que Andalucía ofrecía escasas posibilidades a los comuneros. Pero en otro plano la eficacia moral de la liga de La Rambla es incuestionable. Frente a ambas Castillas, cuna y escenario de la rebelión, Andalucía manifestaba su cohesión y su fidelidad hacia la figura del monarca, de los virreyes y de las autoridades locales, llegando incluso a constituir su propia liga contra los proyectos subversivos de la Junta de Valladolid. La Liga, expresión a un tiempo de lealtad y garantía contra la subversión, contribuyó sin duda a mantener a Andalucía en el bando del poder real, haciéndole tomar conciencia de su poder contra cualquier ataque procedente del norte. Al mismo tiempo constituía una amenaza permanente para las ciudades comuneras más próximas, por ejemplo Murcia. Los otros centros revolucionarios rechazaron todo contacto. Así, Toledo, a los requerimientos de la asamblea de La Rambla, que le pedía que atendiera a razones, respondió ocho días más tarde con violentas diatribas contra los virreyes y los miembros del Consejo Real.

Murcia, distanciada del centro castellano, pero limítrofe del reino de Valencia, donde en aquel momento estalló la revuelta de las Germanías, ocupó un lugar original en el movimiento comunero. Esta ciudad se agitó muy pronto y en circunstancias muy particulares. La comunidad se hizo con el poder, pero tardó mucho tiempo en establecer contacto con la Junta general. El marqués de Los Vélez desempeñó un papel central y muy discutido en los acontecimientos de Murcia. Finalmente, tras la derrota de Villalar, Murcia sería una de las últimas ciudades en someterse al poder real. Lo que llama la atención en el relato de lo ocurrido en Murcia es la fuerte oposición a que se vio sometido el concejo y el patriciado urbano.

La comunidad murciana, tal como se constituyó en agosto de 1520, fue dirigida principalmente contra los regidores y los jurados que fueron expulsados de la ciudad con sus familias. Veamos en la siguiente cita cómo estaba expresada esta postura:

Publicando que la dicha hermandad se haze [...] contra los regidores e caballeros de la dicha çibdad y que avían de hazer doze syndicos a onor de los doze apóstoles y un principal y cabeça a reverencia del nuestro señor Iesu-Christo para que los susodichos tuviesen sus capitanías y juntasen su gente a repique de campana e quando algund agravio se hiziese requiriesen una o dos y tres vezes a la justicia que lo remediase y syno que ellos lo hiziesen[32].

La revuelta estuvo, pues, motivada más bien por la conducta de ciertas autoridades cuyos actos daban a entender que sus decisiones eran inspiradas más por interés personal que por una preocupación por el bien común. Varios miembros de la corporación municipal se habían valido de su posición para adquirir en beneficio propio tierras que eran necesarias para el bienestar colectivo de la población. Concretamente, una de las quejas se refería a la plantación de moreras en tierras que debían ser aprovechadas para el pastoreo. Todo ello presenta muchas analogías con lo que ocurrió en la misma época en varias ciudades comuneras en las que la oligarquía local y las autoridades fueron acusadas de traicionar el bien común en beneficio propio. Fuera de esta oposición al patriciado, no aparecen en la comunidad murciana preocupaciones por temas de mayor trascendencia; problemas fiscales, reivindicaciones propiamente políticas..., tales

---

32 Memorial del alcalde Leguizamo al cardenal Adriano, 5 de agosto de 1520 (Archivo General de Simancas, *Patronato Real,* leg. 2, fol. 48).

como eran debatidas en las ciudades comuneras de la Meseta central. El eco de las Comunidades en Murcia se nos presenta así como algo apagado; hay coincidencias notables, pero también silencios, más que discrepancias, sobre el programa general de la Santa Junta en la que, sin embargo, Murcia estuvo representada por procuradores muy cualificados que participaron activamente en su actuación. Owens se inclina a considerar que el marqués de Los Vélez simpatizó con la Comunidad. Los textos aducidos en este sentido no me parecen tan claros. Como lo hicieron otros magnates en algunas ciudades, el marqués intentó aprovechar la coyuntura para tratar de controlar una ciudad situada en la zona en que tenía su feudo. Impidió ciertos desmanes y desórdenes y se convirtió, o, mejor dicho, trató de convertirse en árbitro de la situación, pero en modo alguno se le puede considerar como comunero.

Desde el principio la rebelión se presentó en Murcia en forma de un enfrentamiento de clases sociales que no apareció en Castilla hasta un momento posterior, y en contrapartida las reivindicaciones políticas y la agitación antifiscal pasaron a un segundo plano. Por ello, la situación de Murcia ha llevado a muchos a aproximarla más al movimiento de las Germanías de Valencia que a las Comunidades castellanas. Pero, pese a la existencia de relaciones esporádicas con la rebelión de Valencia, los comuneros murcianos prefirieron mantener el contacto con la Junta de Tordesillas y, posteriormente, la de Valladolid. Las circunstancias históricas que unieron al reino de Murcia con la corona de Castilla fueron más fuertes que las afinidades sociales y geográficas.

Los comuneros prestaron una gran atención al País Vasco. Fue en Vizcaya y Guipúzcoa donde las ciudades rebeldes se proveyeron de toda clase de armas. Pero ¿cuál fue la participación de las provincias vascas en el conflicto de las Comunidades, aparte de este aprovisionamiento de armas? El minucioso repaso de la documentación, muchas veces inédita, que hace Tarsicio de Azcona para la provincia de Guipúzcoa permite ahora formarse un concepto más cabal de lo que pasó. Después de examinar detenidamente esta documentación, Azcona opina que el «hecho guipuzcoano se inició con independencia del movimiento comunero castellano, aunque posteriormente se enlazaron y entablaron conexiones». Dos elementos llaman la atención en Guipúzcoa: la división entre dos grupos de ciudades y el papel de un magnate poderoso, el conde de Salvatierra.

Sobre el primer aspecto, que llegó a adquirir proporciones de una verdadera guerra civil con combates, muertes, destrucciones de casas, quemas o talas en los campos..., hay que notar la división de la provincia en dos bandos, el uno encabezado por la ciudad de San Sebastián, más bien leal al Consejo Real y a los gobernadores nombrados por Carlos V, el otro en torno a las ciudades de Tolosa y Hernani y relacionado con la Junta comunera. El motivo aparente del conflicto lo constituye el nombramiento de Cristóbal Vázquez de Acuña como corregidor de la provincia. El grupo de Tolosa-Hernani considera tal nombramiento como ilegal, ya que no ha sido realizado a petición de la provincia. ¿Batalla entre el centralismo de la corona y la defensa de las libertades provinciales? La cosa no está tan clara, ya que el grupo de San Sebastián muestra igual apego a las tradiciones y a los fueros en el momento que acepta el corregidor. En realidad, todo parece indicar que la llegada del corregidor fue el estallido para un incendio que venía preparándose desde lejos. ¿De dónde? Esto es lo que todavía no se ha averiguado de modo satisfactorio. Detrás de los grupos enfrentados, se vislumbran cosas viejas y rencores, enfrentamientos de algunas villas con los

señores, restos de la tradicional confrontación del hecho municipal con el hecho solariego, con los pocos grandes señores de la
comarca y los más numerosos parientes mayores mantenidos a
raya en los últimos decenios y que aprovechan la coyuntura para
tratar de recobrar parte de la influencia perdida, lo mismo que
rivalidades entre ciudades marítimas y ciudades del interior,
tensiones entre la población industrial y la mercantil, intentando ambas dominar el sector del campesinado. Azcona se limita
a presentar las actitudes y los acontecimientos sin atreverse a
proponer una interpretación:

> Sería necesario recomponer mejor el escenario socioeconómico
> de Guipúzcoa, detectar las relaciones de sus hombres y sus villas y
> conocer la urdimbre de sus estamentos sociales para asentar con segu-
> ridad las razones que influyeron para que aquellos hombres y aquellos
> pueblos se inclinasen a un bando o a otro. Creemos que no todo fue
> lógico, ni razonable. En esta perspectiva debieron jugar su papel las
> rivalidades locales [33].

Naturalmente, los dos bandos rivales buscaron apoyos
fuera de la provincia, cerca de los gobernadores o de los comuneros castellanos. La Santa Junta trató de aprovechar la coyuntura; envió a Hernani a varios emisarios que lograron éxitos
notables: el grupo de Hernani facilitó así al ejército comunero
las armas que necesitaba, mientras estorbó cuanto pudo el sumi-
nistro de material bélico a las tropas reales. ¿Basta esta actitud
para considerar a los de Hernani como comuneros? No, porque
este bando supo mostrarse prudente y detenerse a tiempo.

---

[33] T. de Azcona, *San Sebastián o la provincia de Guipúzcoa durante la guerra de las Comunidades,* San Sebastián, 1974, p. 33.

Rechazó cortésmente los ofrecimientos del conde de Salvatierra, quien puso a disposición de la Junta de Hernani su fortaleza de San Adrián, clave de Castilla, y estaba dispuesto a entrar en la provincia «con buena gente a os ayudar y servir». La Junta contestó que la fortaleza estaría mejor en manos del conde y, en cuanto al ofrecimiento de gente, dijo que la provincia tenía «asaz de gentes de muchos hijosdalgo de la misma tierra» y que de momento no tenía necesidad de otra. O sea que el bando de Hernani prefirió renunciar al apoyo armado del conde de Salvatierra antes de hipotecar su libertad frente a un magnate que, aunque comunero, no dejaba de ser un irreductible señor feudal. A principios del año 1521 el duque de Nájera, obedeciendo órdenes del emperador y del Consejo Real, supo reconciliar los dos bandos opuestos sin premiar ni castigar a ninguno por sus actividades pasadas, cosa que difícilmente podía hacer si uno de los bandos se hubiera identificado rotundamente con la causa de los comuneros. Frente a la invasión francesa y la toma de Fuenterrabía, los dos grupos rivales silenciaron sus parcialidades y se unieron contra el enemigo común. Por tanto, parece lo más acertado no relacionar la contienda guipuzcoana —que, por otra parte, sólo duró tres o cuatro meses: desde el otoño de 1520 hasta enero de 1521— con la revolución comunera, sólo se notan conexiones circunstanciales que no llegaron nunca a una identificación total. Vizcaya permaneció leal a la corona y en calma. Sólo Álava parece que participó en el movimiento de las Comunidades, pero el papel que en esta provincia desempeñó el conde de Salvatierra desvirtúa profundamente sus perspectivas.

El movimiento comunero propiamente dicho se desarrolló por ambos lados de la sierra de Guadarrama, en torno a dos núcleos principales: Toledo y Valladolid. La revolución se extendió hacia el norte desde el sur: partiendo de Toledo. Alcanzó primero a Segovia, después Valladolid y luego Palencia. Madrid, Ávila y Medina del Campo, situadas en este eje sur-norte, se incorporaron rápidamente, y al oeste Zamora, Toro y, sobre todo, Salamanca compartieron las inquietudes, las preocupaciones y los proyectos de Toledo. Según nos alejamos de esta zona, comprobamos que la revolución fue perdiendo su poder de atracción. Así Cuenca, Guadalajara, Soria y León acataron la autoridad de la Junta, pero sin gran entusiasmo, y las tres primeras ciudades se apartaron pronto de ella. Al norte, Burgos era francamente hostil. Las restantes provincias, o se mantuvieron al margen, u observaron una actitud de extrema reserva o, finalmente, presentaron síntomas de agitación, pero no se adhirieron a la Junta más que accidentalmente (casos de Murcia y del País Vasco).

El Perdón de 1522 registra fielmente esta participación masiva de la zona central de Castilla en la revolución de las Comunidades. Palencia aportó el mayor contingente de proscritos, 34, a continuación vienen Salamanca con 25 exceptuados, Segovia (24), Ávila y Madrid (22), Valladolid (20), Medina del Campo (19), León y Toledo (18), Zamora (16), Aranda de Duero (15), Toro (10), Murcia, caso especial, cuenta con 12 exceptuados, pero Guadalajara sólo 4, Sevilla 3, Soria 2 y Burgos 1.

La revolución de las Comunidades se originó y se desarrolló, pues, en la región que hemos definido como la más poblada y con la mayor densidad de redes de comunicación de todo el reino de Castilla en los albores del siglo XVI. En ella se hallaban también algunos de los centros más activos de la naciente industria textil: Toledo, Segovia, Palencia y, más al este, Cuenca. Desde principios del siglo esta zona estaba sufriendo una serie de dificultades económicas que la indujeron a protestar contra los privilegios de los comerciantes de la periferia, nacionales o extranjeros, respecto al comercio de la lana. Dos Castillas se van a ver enfrentadas, entonces: la Castilla de los ganaderos y de los grandes comerciantes, simbolizada por Burgos, en plena expansión desde fines del siglo XV, que poseía un casi monopolio de la exportación de las lanas gracias a dos instituciones florecientes, dos poderosos sindicatos de intereses colectivos: la Mesta y el Consulado de Burgos; y la Castilla de los pequeños tenderos, de los comerciantes con un radio de acción muy limitado, de los artesanos y de los industriales molestos por la competencia extranjera y por la legislación favorable a los exportadores. Segovia se halla en el límite de las dos Castillas.

La organización creada por los Reyes Católicos favorecía a la primera, aunque sin sacrificar completamente a la segunda. Pero el equilibrio quedó roto en 1504, cuando surgen los antagonismos. Burgos trata de conservar sus privilegios y sus buenas relaciones con Flandes, mientras la región del interior se inquieta y se considera sacrificada en el reparto de las oportunidades y beneficios. Cuando se produjo el advenimiento de los Austrias, la ruptura se había consumado ya: en 1520, cuando Carlos V ha dado garantías a los exportadores, Toledo se rebela y aglutina a las ciudades del interior contra el rey y contra Burgos. Andalucía, por su parte, favorecida desde hace mucho tiempo por el gran comercio internacional, no tiene motivos para inquietarse y adopta una actitud claramente reticente. El centro frente a la periferia, es decir, las zonas que unos años antes protestaban contra el monopolio de burgaleses y genoveses. Se prosigue la misma batalla pero con otros métodos. Para confirmar esta hipótesis, sugerida por la geografía de la revolución, examinemos a continuación la sociología y la ideología del movimiento comunero.

VI. COMUNEROS Y ANTICOMUNEROS

El análisis sociológico de las Comunidades confirma su localización geográfica. Las ciudades del interior son las que suministran tropas a los comuneros. Los mandos, los jefes, vienen perfectamente señalados en el perdón general de 1522; podemos considerar justamente a los 293 exceptuados como representativos de la revolución. En esta lista encontramos a muchos burgueses manufactureros, artesanos, tenderos, obreros, frailes y letrados, a fin de cuentas todos o casi todos pertenecen a las clases medias, a la pequeña o media burguesía. La alta burguesía es anticomunera. No es numéricamente importante en Castilla, con la única excepción de Burgos, pero precisamente, como se ha visto, Burgos se aparta tempranamente de la Junta.

En la documentación conservada figuran los nombres de aquellos hombres que, en el mes de octubre de 1520, intervinieron activa y eficazmente para que la ciudad de Burgos volviera a la obediencia y se sometiera al poder real: Francisco de Mazuelos, Pedro de Cartagena, Jerónimo de Castro..., todos mercaderes importantes tratantes en lanas; detrás de ellos se adivina la influencia del Consulado de Burgos, de la alta burguesía exportadora. Los comuneros no se engañan: reniegan de los marranos de Burgos y la Junta ordena a sus tropas ejercer represalias contra los mercaderes de Burgos, embargando sus bienes. Contra los comuneros se alza también y sobre todo la aristocracia de Castilla. No debe engañarnos la presencia en las filas comuneras de unos pocos grandes señores e hidalgos; conviene tener en cuenta el hecho, desde luego mucho más importante, de que toda la aristocracia, en conjunto, se pronunció contra la Comunidad.

COMUNEROS Y CABALLEROS

En las *Epístolas familiares* de Guevara, el futuro obispo de Mondoñedo fingía apenarse ante la suerte de Acuña, que frecuentaba a gentes tan poco recomendables:

Muy gran compasión me tomó cuando este otro día os vi rodeado de comuneros de Salamanca, de villanos de Sayago, de forajidos de Ávila, de homicianos de León, de bandoleros de Zamora, de perayles de Segovia, de boneteros de Toledo, de freneros de Valladolid y de celemineros de Medina, a los cuales todos tenéis obligación de contentar y no licencia de mandar[34].

¡Un prelado de la Santa Iglesia al frente de simples truhanes que en realidad eran quienes le mandaban a él! ¿Y qué decir del pobre Padilla, mezclado con la escoria del populacho? Veamos de nuevo la opinión de Guevara:

[...] cuando hogaño me fuistes a hablar en Medina del Campo y fui con vos a ver el frenero y a Villoria, el pellejero, y a Bobadilla, el tun-

---

34 Guevara, *Epístolas familiares*, t. I, ed. J. M. Cossío, Aldus, Madrid, 1950, pp. 303 y 308-309.

didor, y a Peñuelas, el peraile, y a Hontoria, el cerrajero, y a Méndez, el librero, y a Lares, el alférez, cabezas e inventores que fueron de los comuneros de Valladolid, Burgos, León, Zamora, Salamanca, Ávila y Medina, yo, señor, me espanté y me escandalicé[35].

Hay motivos para poner en duda que Guevara coincidiera con Acuña y Padilla en Villabrájima o en alguna otra parte. Conservemos la imagen de estos jefes comuneros rodeados de un populacho arrogante y despótico.

Avancemos varios siglos y recojamos las conclusiones de uno de los más grandes espíritus de nuestro tiempo, historiador de enorme talento y preocupado de no dejarse engañar por las apariencias erróneas. ¿Qué había en realidad tras el movimiento comunero? No ciertamente aspiraciones democráticas, sino una vuelta por la fuerza al feudalismo,

[...] una algarada feudal: Según el tópico corriente, los comuneros eran, en gran parte, gente del pueblo que defendía sus libertades contra el rey tiránico; pero eran, en realidad, una masa inerte conducida por nobles e hidalgos apegados a una tradición feudal que les daba un evidente poder contra el monarca, al mismo tiempo que sobre el pueblo esclavizado. La rebelión de las Comunidades representa el último intento de la Castilla feudal, medieval, para mantener sus privilegios, frente al poder real absoluto, unificador del país. Los comuneros fueron vencidos y, con ellos, el feudalismo de Castilla. Los nobles e hidalgos que capitanearon la comunidad se apoyaron, pues, en la multitud para resucitar una pasión de mando[36].

---

35 *Ibid.*

36 Gregorio Marañón, *Antonio Pérez*, t. I, Madrid, 1954, p. 126.

¿Quién está en lo cierto, Guevara o Marañón? ¿Qué era la comunidad, una insurrección popular o una fronda aristocrática? Y ¿quién dominaba el juego, el humilde tundidor o el orgulloso hidalgo?

El movimiento comunero aparece específicamente como un fenómeno urbano. En todas partes movilizó a la masa, mejor o peor organizada, mejor o peor encuadrada. Así fue cómo se produjeron los hechos en Toledo: «¡Comunidad! ¡Comunidad! ¡Libertad! ¡Libertad! Esto decían los cardadores y un borjahilador de seda.» En estas manifestaciones, que degeneraban a veces en una revuelta abierta, dominaba el elemento popular, que imponía la ley de su número, atemorizaba a las elites, al patriciado, obligado a negociar y en ocasiones a huir. Y los testigos —a menudo las víctimas— evocan, después del tumulto, la humillación de los ricos y poderosos, la dictadura de los miserables y de los desarraigados,

[...] forasteros y hombres pobres del arrabal que andaban a hurtar y robar: gentes bárbaras, así oficiales como otras, con codicia sobrada, pensando ser parte en el reino, lo alborotaban. Los que regían y gobernaban, sin autoridad ninguna; las personas bajas sin saber y sin prudencia, hechos gobernadores de los pueblos; los buenos, muy mal tratados; los señores y Grandes desacatados [Carta de Granada a Sevilla y Córdoba, s.f.] [37].

El patriciado urbano, acostumbrado a imponer sin trabas sus deseos, podía comprender que el pueblo se rebelara, que se diera al pillaje, que asesinara, a condición de que volviera de inmediato a sumisión respecto de las autoridades constituidas;

---

[37] Archivo General de Simancas, *Patronato Real*, leg. 2, fol. 20.

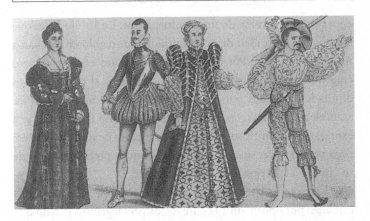

Personajes del siglo XVI con los vestidos de la época.

pero el populacho organizado, discutiendo los problemas del país en asambleas tumultuosas en las que la voz de un zapatero contaba tanto como la de un caballero, eso era lo que les resultaba inadmisible e impulsaba a tantos nobles a abandonar las ciudades sublevadas.

Así se explica el cariz que tomaron los acontecimientos en las ciudades ganadas por el movimiento. Los notables debían apoyar las posiciones más radicales o mantenerse al margen, so pena de aparecer como traidores a la revolución. Muchos se negaban a aceptar tales compromisos o la complicidad silenciosa que se les exigía; no se avenían a renunciar a su prestigio, a su autoridad y a colaborar con elementos sociales inquietos, simples desgraciados a veces que nada tenían que perder, lo que les impulsaba a mostrarse aún más radicales. Por eso muchas veces la adhesión a la comunidad se presenta como una elección a favor o en contra de los caballeros; es decir, a favor o en contra de la oligarquía urbana, que desde hacía más de siglo y medio gobernaba las ciudades de Castilla sin demostrar excesiva preocupación por la masa de sus administrados. En las ciudades que acataban la autoridad de la Comunidad los regidores pasaban a un segundo plano. Por regla general, no se los expulsaba, pero eran obligados a rendir cuentas y a compartir el poder con los diputados, elegidos por el pueblo, así como a informar en las asambleas generales, en las que todo el mundo tenía derecho a expresarse y a emitir su voto. La mayor parte de los caballeros se negaron a aceptar situación tan humillante y prefirieron salir de su ciudad a la espera de tiempos mejores.

Ésta es una de las acepciones de la palabra *comunidad*: los *comunes*, por oposición a la elite de los privilegiados, y dado que esta comunidad se afirmaba generalmente contra el patriciado por medio de la reivindicación, pasamos así a un segundo sentido de la palabra: *Comunidades* como revuelta popular, como insurrección. Las masas urbanas rechazaron a las elites tradicionales, pero raras veces se dieron dirigentes procedentes de los sectores sociales más humildes. Estos jefes pertenecían en su mayoría a las capas medias de la población. Fue precisamente a causa de no haber podido contar con un auténtico dirigente de superior categoría social por lo que las masas sublevadas de Burgos fueron finalmente subyugadas por la oligarquía tradicional a pesar de su fuerza y dinamismo.

LA NOBLEZA ENTRE LAS COMUNIDADES Y EL PODER REAL

Así, los caballeros, entre los cuales se reclutaba el patriciado urbano, se encontraron enfrentados la mayor parte de las veces a los comuneros, por temperamento y porque eran las primeras víctimas de la revolución, ya que el poder escapaba de sus

manos en las ciudades. Los caballeros no representaban más que
una fracción de la aristocracia. ¿Cuál fue la reacción de los restantes nobles, de los grandes señores, los propietarios de grandes dominios? Desde los primeros compases de la revolución
esta alta nobleza adoptó una actitud ambigua que confunde a
los historiadores, quienes se han planteado fundamentalmente
dos cuestiones a este respecto:

1.   ¿Puede considerarse que una parte de la alta nobleza
estuvo en el origen de esta sublevación?

2.   Si ella no la provocó, ¿asumió acaso su dirección, al
menos en el primer estadio?

El primer interrogante no es ni mucho menos nuevo.
Según una opinión transmitida por el humanista Maldonado,
ya en el siglo XVI, los Grandes serían responsables de la propaganda antifiscal que tan gran conmoción suscitó en toda
Castilla y que en gran medida preparó el clima favorable para
las revueltas de junio. En varias ocasiones vemos al cardenal
Adriano reflexionando si acaso no sería la nobleza un impulso
para que las ciudades se declararan en rebeldía: «Muchas causas
tenemos de sospechas que esta tanta rebelión viene y toma principio de los Grandes» (carta de 30 de junio de 1520). Incluso
después de la victoria de Villalar, el cardenal seguía encontran-
do sospechosa la conducta de los Grandes, que se mostraban
solícitos en proteger a algunos comuneros. ¿No estarían tratando quizá de proteger a antiguos cómplices? Según estos informes y otros similares, la Corte atribuía la responsabilidad de las
sublevaciones de junio al marqués de Villena, al de Los Vélez y
al duque del Infantado, cuya actitud parecía poco clara. De
hecho, nunca se ha podido aportar prueba alguna que demues-

tre que estos aristócratas u otros hubieran fomentado la rebelión; ésta no era más que el desenlace final de una larga oposición, comenzada mucho tiempo antes de la marcha del rey y en
la que los señores no tuvieron ninguna participación. Cierto
que algunos Grandes se sentían satisfechos de ver al poder real
en situación difícil, pero esto no significa que ellos hubieran
provocado la sublevación en forma deliberada.

Es cierto que entre junio y septiembre, a veces incluso durante más tiempo, los Grandes acumularon en sus manos el poder en
algunas ciudades: el condestable en Burgos, el duque del
Infantado en Guadalajara, el conde de Alba de Liste en Zamora y
el infante de Granada en Valladolid. El caso del marqués de Los
Vélez en Murcia es más complejo. Pero todas estas ciudades no
estaban sometidas entonces a la autoridad de la Junta; al contrario, los comuneros no pudieron alcanzar la victoria en ninguna de
ellas debido a la intervención de los Grandes.

No confundamos revuelta y revolución. Una revuelta no
desemboca necesariamente en una revolución; en otras ocasiones la revolución puede desencadenarse sin una agitación previa, como sucedió en Salamanca. Otras veces incluso una simple revuelta ofreció a los Grandes la oportunidad de intervenir
so pretexto de mantener el orden, conservando el poder a cambio de una serie de concesiones meramente formales. La revolución de las Comunidades se expresó en la base por la sustitución
del regimiento tradicional por una organización más representativa —la Comunidad— y en su manifestación externa por la
adhesión al programa y a la autoridad de la Junta. Y en agosto
sólo estaban en ella los representantes de cuatro ciudades:
Toledo, Segovia, Toro y Salamanca.

No creemos, pues, admisible calificar de comuneros al condestable o al conde de Alba de Liste por el simple hecho de que

ocuparon una situación preeminente como detentadores de la autoridad en ciudades en las que se produjeron levantamientos contra el poder real, más aún si consideramos que esa autoridad la ejercían de forma más o menos subrepticia contra la Junta, órgano central de la revolución. Tampoco decimos, sin embargo, que estos Grandes fueran desde el primer momento hostiles a la Comunidad. La situación es mucho más compleja. La actuación de estos nobles parece estar guiada por dos preocupaciones esenciales:

—Mantener el orden e impedir que los extremistas siguieran dominando la situación. Particularmente ilustrativo resulta el caso del duque del Infantado, en Guadalajara, el cual mandó a la horca a los revolucionarios más exaltados.

—Establecer o consolidar su autoridad en una serie de ciudades que desde hacía mucho tiempo intentaban subyugar o en las que su dominio era ya efectivo.

Los Grandes, ni inspiradores ni dirigentes, mantuvieron, por tanto, una actitud expectante durante la primera fase de una sublevación que no iba dirigida contra ellos, sino contra el poder real y sus representantes. Esto queda reflejado en las palabras del cronista Santa Cruz, que reproducimos a continuación, y en las que el término caballeros hace referencia a los grandes señores:

Ningún caballero les contradecía en público, antes muchos les favorecían en secreto, porque como no les habían tocado en sus tierras, no mostraban pena del levantamiento de las Comunidades[38].

---

38 Citado por M. Danvila, *op. cit.,* t. I, p. 337.

¿Qué motivos podrían haber impulsado a estos señores a intervenir en favor de la monarquía? Nada le debían; antes bien, acumulaban contra ella un profundo rencor desde hacía dos años. El nuevo soberano había decepcionado sus esperanzas. La nobleza hubiera deseado recibir gratificaciones, ser consultada por el soberano en las decisiones importantes; en cambio, había sido marginada, no se le había concedido nada de lo que reclamaba. El rey sólo escuchaba a los flamencos; en 1520 recogía lo que Chièvres y sus cómplices habían sembrado. La última vejación que habían tenido que sufrir los nobles fue la decisión del soberano, cuando se embarcó en La Coruña, de confiar el poder durante su ausencia a un miembro del clero, y por si esto fuera poco, además, extranjero.

¿Puede resultar extraño, así, que en tales circunstancias estos nobles se negaran a tomar partido por el poder real? Muchos de ellos sentían gran satisfacción al contemplar la situación comprometida en que las ciudades habían colocado a la monarquía. Esperaban que llegara el momento oportuno para intervenir, porque, en definitiva, ellos eran los árbitros de la situación. Si ellos se declaraban en contra de la Junta, inmediatamente variaría la relación de fuerzas, favorable hasta entonces a los rebeldes. Tal era el punto de vista que el cardenal Adriano expresaba en agosto: «El consejo de todos es que debemos requerir los Grandes porque nos asistan contra los pueblos revueltos.»

A la luz de estas consideraciones cobra sentido la designación del condestable y del almirante para compartir el poder con el cardenal. Lo que el soberano deseaba era que la alta nobleza se decidiera a prestarle su apoyo contra los rebeldes. Por sí sola esta decisión no fue suficiente para conseguir la solidaridad de la aristocracia. Más decisivos fueron, en este sentido, los acontecimientos que se desarrollaron en Castilla desde los primeros días de septiembre.

El movimiento antiseñorial

En tanto las Comunidades se limitaron a contestar el poder real, los Grandes no intervinieron en el conflicto, salvo en casos concretos y limitados. ¿Pero sería posible constreñir la revolución al plano político, como parecía desearlo la Junta? Al amparo del gran movimiento de protesta contra todo tipo de abusos que se desencadenó en junio de 1520, la ocasión parecía propicia para exigir reparación de los agravios sufridos con anterioridad. El hecho decisivo en este sentido lo constituyó la sublevación de Dueñas contra su señor, el conde de Buendía, el 1 de septiembre de 1520.

Dueñas había sido una ciudad libre hasta 1440, fecha en que el monarca Juan II la cedió a la familia de los Acuña, a pesar de la oposición de la población. En 1475 los Reyes Católicos autorizaron la formación de un mayorazgo, y entonces Dueñas quedó integrada en el feudo de los Acuña, convertidos en condes de Buendía. Sus habitantes no habían perdido, sin embargo, la esperanza de reconquistar legalmente su libertad y así en 1504 presentaron sus quejas en la Chancillería de Valladolid y solicitaron su reintegración al dominio real. Proceso interminable realmente, como muchos otros de la misma clase. También aquí la crisis de 1520 incitó a los interesados a tomarse la justicia por su mano. El 1 de septiembre de 1520, en plena noche, un grupo de hombres fuertemente armados penetró en la mansión de los condes. El efecto de sorpresa fue total. Tras una corta resistencia el conde y la condesa fueron hechos prisioneros y bajo amenazas se vieron obligados a firmar la orden de capitulación del castillo. A continuación fueron expulsados de la ciudad. Pero Niño, al servicio del conde y su hijo Rodrigo, parece que desempeñaron un papel de suma importancia en estos acontecimientos.

Hay que situar la revuelta de Dueñas en el contexto de un profundo movimiento de hostilidad contra el régimen señorial, que no debe ser confundido en ningún modo con el movimiento comunero propiamente dicho. Entre ambos no existe relación alguna de causa a efecto. En los primeros momentos las Comunidades no atacaron el régimen señorial; sin embargo, sí puede hablarse de concomitancia: la revuelta antiseñorial se desencadenó al amparo de la crisis producida por las Comunidades. En principio, la Junta trató de mantenerse al margen en el conflicto surgido entre los señores y sus vasallos, pero los acontecimientos iban a obligarla a tomar partido y, desde entonces, el movimiento comunero cambió de sentido. En efecto, todo indica que los comuneros no son responsables en ningún modo de los acontecimientos de Dueñas. Y, además, los sublevados no hicieron otra cosa, cuando se encontraron dueños de la ciudad, que escribir al cardenal para que aceptara el hecho ya consumado de la reintegración de Dueñas en el patrimonio real. En cuanto al conde de Buendía, su reacción fue totalmente distinta, acudiendo a quejarse ante la Junta. Mucho más tarde el conde pretendió atribuir a los comuneros la sublevación de Dueñas, afirmando entonces que todo había sido minuciosamente preparado, y que en agosto ya habían entrado en contacto con los comuneros de Toledo, afirmación que los acusados negaron con rotundidad.

Ante estos acontecimientos ocurridos en septiembre, la Junta se sentía algo indecisa respecto de la conducta a seguir.

Por una parte, no le interesaba oponerse a la nobleza, pero por otra no le resultaba nada fácil prestar su ayuda a los señores para reducir a sus vasallos. Esta indecisión es muy significativa y demuestra que la Junta no deseó una sublevación de estas características, que había de colocarla indefectiblemente en una posición difícil. En efecto, los nobles comenzaban a inquietarse; consideraban que los acontecimientos de Dueñas constituían una prueba con respecto a las verdaderas intenciones de los comuneros. El 26 de septiembre el conde de Oropesa instó a la Junta a intervenir, insistiendo sobre la trascendencia de la decisión que iba a tomar:

Yo creo que, cuando ésta llegare, segund va tarde, por çierta ocasión que se ofreció, ya vuestras mercedes avrán proueydo lo de Dueñas, pues el caso y las çircunstancias dél es de tanta grauedad, y ansí se deue creer que estará proueydo, pues es propio a la intençión de vosotros y de vuestro ayuntamiento proveer los semejantes agravios como los señores Conde y Condesa de Buendía an padesçido y padesçen, que de tan santa Junta no deue ni puede salir sino tal provisión qual convenga a servicio de Dios y bien vniuersal del reyno, ques el fin con que Dios os ha juntado. Pido por merced a vuestras mercedes seays en que la villa de Dueñas se reduga a la obediencia de sus señores y proueays quel atrevimiento que tuuieron se castigue on tanto rigor como el caso requiere por satisfaçión de los que en sangre cabemos en esto y por el enxemplo que a de resultar dello en el reyno[39].

La Junta se sintió desde luego enormemente turbada. Intentó por todos los medios dar seguridades a los nobles, y

---

[39] Carta del conde de Oropesa, 26 de septiembre de 1520 (Archivo General de Simancas, *Patronato Real*, leg. 1, fol. 54).

entre otras cosas tomó bajo su protección a los partidarios del conde de Alba de Liste en Zamora, cuando se vieron amenazados por la comunidad local. Escribió asimismo a algunos Grandes; por ejemplo, al duque de Alburquerque, el 3 de octubre, para informarle sobre los fines que perseguía el movimiento: poner fin a los abusos y servir al interés general: «Servir a la reina y rey, nuestros señores, y para bien y pacificación de estos sus reinos [...]»; deshacer las tiranías pasadas y no consentir que las leyes de estos reinos sean quebrantadas. ¿Qué podría ser más tranquilizador que esto para los señores? En esta carta la Junta hizo referencia a los acontecimientos de Dueñas: se trataba de algo que no debía tener mayores consecuencias; la Junta aseguró que se encargaría de que el orden fuera restablecido en la villa: «Con grandísima diligencia entendemos en la pacificación de todo.» Este incidente no debía ser causa para que los señores no se unieran al esfuerzo común:

Suplicamos a Vuestra Señoría y a otros señores que nos hagan merced de venir a estas Cortes porque como somos todos pequeños no querríamos juntarnos sino con quien tuviésemos gran seguridad [40].

La última frase es importante. La Junta que se abrogaba la representación de todo el reino deseaba la colaboración de los Grandes, pero a condición de poder conservar su independencia, de no caer bajo el dominio de éstos. Se aprecia claramente el deseo de la Junta de no provocar la enemistad de los señores, de hacerles participar en su juego, pero sin confiarles la dirección del movimiento. Sin embargo, los Grandes y los señores están a la defensiva.

---

[40] Citado por A. Rodríguez Villa, *La reina Luisa Juana,* Madrid, 1892, pp. 305-306.

Los acontecimientos de Dueñas se repitieron en seguida por toda Castilla. He aquí lo que opinaba el embajador de Portugal:

Ha sido muy mala materia para todos los Grandes y créese que, si en esto no se provee tan recio como conviene, que ellos se verán en tanto trabajo y más de lo que ellos por ventura piensan, porque Medina de Rioseco ha muy pocos días que estuvo en punto de hacer otro tanto, y aun ahora, según dicen, no está muy fuera de ello; y asimismo Villalpando, que es un lugar, el más principal que el condestable tiene, está también alborotado y no muy fuera de hacer lo que ha hecho Dueñas. De Nájera ha venido nueva que es alzada por el rey. Paréceme que esta pestilencia es general y en la verdad todos los Grandes están con mucho recelo que sus vasallos se desvergüencen, porque todos los lugares de los señores, unos con otros, se cartean y no falta quien los atice a poner en estos pensamientos [41].

La amenaza se cernía en primer lugar sobre el condestable de Castilla. Sus dominios se extendían por la región de Burgos, sin un límite preciso. En septiembre de 1520 volvieron a producirse incidentes provocados por los que rechazaban las posiciones establecidas. Haro se sublevó contra el condestable. Por su parte, el conde de Benavente, amenazado también por el cariz de los acontecimientos, impidió que la sedición invadiera sus dominios. Enterado de que su ciudad de Castromocho contemplaba propósitos de rebeldía, acudió de inmediato y se entregó a una despiadada demostración de fuerza, destruyendo casas, azotando a los agitadores y llegando en su crueldad a cortar la lengua a seis de ellos. Pero fue inútil, pues, asimismo, a los

---

41 Lisboa, Torre do Tombo, *Corpo Cronologico*, Pab. 1, maço, 26, doc. 69.

pocos días Portillo comenzó a agitarse dentro de sus tierras. Más al norte el duque de Nájera se vio también en dificultades: sus vasallos ocuparon la villa de Nájera y dos castillos y ahorcaron a uno de sus hombres de confianza. Asimismo, él se mostró dispuesto a actuar sin contemplaciones. Dio una hora de plazo a los rebeldes para deponer su actitud, y no eran amenazas vanas, ya que había hecho llamar a la artillería y además contaba con la ayuda del condestable, del conde de Miranda y del conde de Aguilar. La rebelión pudo ser superada; ocho o nueve de los agitadores fueron ahorcados, pero el condestable impidió que se arrasara la villa como represalia por haberse sublevado.

En un primer momento todas las manifestaciones antiseñoriales tuvieron como marco Castilla la Vieja, pero posteriormente aparecieron también focos insurreccionales al sur del Guadarrama. El conde de Chinchón vio sus propiedades amenazadas. Los rebeldes recibieron todo su apoyo de los comuneros de Segovia, que no perdonaban a los condes de Chinchón el desmembramiento parcial de la comunidad de ciudad y tierra, realizado por los Reyes Católicos para constituir su feudo. El 13 de septiembre el conde se vio obligado a pedir refuerzos para hacer frente a los sublevados. Un cronista nos ha dejado el relato de los sucesos de Ciempozuelos, pequeña aldea de unos 600 vecinos: «Querían ser de la corona real.» El verano de 1520 terminó, pues, en medio de un fuerte movimiento de hostilidad contra el régimen señorial. Los cronistas han dejado testimonio de él, pero en general atribuyen a los comuneros una responsabilidad directa en estas sublevaciones, lo que no está en absoluto demostrado. La Junta se vio sorprendida e incluso molesta por la violencia de esta reacción antiseñorial. Y si le resultaba difícil oponerse a esta corriente popular espontánea, al mismo tiempo temía enajenarse la enemistad de los señores en bloque si apoyaba abiertamente la revuelta de los señoríos. No hay duda de que hubiera deseado poder evitar estas tensiones. Pero los hechos eran muy distintos. En muchas regiones los señoríos aprovecharon la coyuntura de crisis para manifestar claramente su voluntad de ser integrados —o reintegrados— en el patrimonio real. La hora de las ambigüedades había pasado y la Junta y las diferentes capas de la nobleza debían tomar postura. En especial, para los nobles había llegado el momento de la elección.

En efecto, el levantamiento antiseñorial obligó a los Grandes a interesarse más intensamente por la marcha de los acontecimientos. El movimiento comunero había impulsado —sin proponérselo— las iras antiseñoriales. Algunos nobles comenzaron a sentirse inquietos, pero todavía confiaban en que la Junta se negara a apoyar a los rebeldes; hemos visto, por ejemplo, que esto era lo que esperaban los condes de Buendía y de Oropesa. Otros instaron al rey a satisfacer las reivindicaciones de los comuneros. Tal era la actitud del duque de Béjar: «Dicen que los más que están en la Junta son personas honradas y hechuras de la casa real de Vuestra Alteza y deseosas del servicio de Vuestra Majestad [27 de septiembre de 1520].»

Algunos, los más directamente amenazados, pensaban en la necesidad de defenderse, ya que eran atacados, en aliarse con el poder real contra el enemigo común.

Fue precisamente en el momento en que los señores estaban sumidos en la mayor inquietud cuando llegó a Castilla Lope Hurtado, portador de dos documentos importantes: el decreto que asociaba al gobierno al condestable y al almirante y un mensaje personal del rey invitando a los nobles a tomar partido de un modo definitivo contra los rebeldes. Las circunstancias no podían ser más favorables. Sólo un mes antes Lope

Hurtado se hubiera encontrado con una negativa cortés. Pero a finales de septiembre halló unos interlocutores dispuestos a escucharle. El condestable aceptó sin dudar un momento la misión que le confiaba el rey. En su decisión influyó quizá su deseo de ayudar al rey; pero, sobre todo, el de defender la integridad de sus dominios. Esto era perfectamente conocido en la Corte; pero ¿qué importaban las motivaciones si se conseguía su colaboración?

Otros Grandes comenzaron a reclutar tropas y fueron entonces los miembros de la Junta quienes se inquietaron ante estos preparativos militares. Es cierto que los nobles pensaban en la defensa de sus feudos, pero ¿no se sentirían tentados, una vez restablecida su autoridad, a dirigir estas armas contra los comuneros? Así, la Junta conminó a los Grandes a poner fin a la concentración de tropas y prohibió taxativamente atender las órdenes de movilización que pudieran proclamar. La Junta afirmaba que su autoridad era suficiente para mantener el orden y además la experiencia había demostrado en muchas ocasiones que la nobleza no intervenía en los asuntos públicos con otro interés que el de engrandecer sus dominios en detrimento de la corona y del interés general. Las posiciones se endurecieron. Anghiera dio testimonio de esta radicalización. La Junta acusó a la alta nobleza de usurpadora de los bienes del Estado, de querer actuar como lobos en medio de un rebaño. Los señores, pues, decidieron armarse, porque desconfiaban de la Junta, mientras ésta acogió con inquietud estos preparativos militares y pasó a su vez al ataque en los términos más duros. Este cambio de actitud se dejó sentir especialmente en relación con Dueñas, respecto de la cual la Junta había mantenido una actitud indecisa. En octubre el panorama varió por completo. Dueñas se volvió decididamente hacia la Junta en demanda de

ayuda y protección, denunciando en forma metafórica la alianza de los nobles con el rey en contra del pueblo llano. Esta vez
la Junta se colocó sin reservas junto a los rebeldes, prohibiendo
a todos los pueblos afectados que entregaran los impuestos a los
condes de Buendía.

LA JUNTA CONTRA LOS GRANDES

Sin haberlo pretendido verdaderamente, la Junta se vio
comprometida en noviembre en una lucha contra un núcleo de
grandes señores y esto la obligó a precisar con más exactitud sus
objetivos. Éstos se reducían, fundamentalmente, a imponer la
supremacía política de un organismo representativo, no ya sólo
contra el rey, sino contra los Grandes, con sus ambiciones y
deseos de poder. El manifiesto del 14 de noviembre dirigido a
las Merindades de Castilla la Vieja define con exactitud el sentido de la lucha: defensa del Estado respecto a los malos ministros y los Grandes, culpables ambos de servir a una serie de intereses particulares en detrimento de los verdaderos intereses de la
comunidad: «No consentir que ningún Grande, so esta color
[ser gobernador], se apodere del reino por los grandes males y
daños que de aquí resultarían.» Las nuevas perspectivas que se
abrían en el conflicto tranquilizaban e inquietaban a un tiempo
al cardenal Adriano. Dado que la Junta dirigía sus ataques ahora
contra los Grandes más que contra el poder real, quizá sería el
momento adecuado para concluir un acuerdo con ella. De lo
contrario, podría suceder que los Grandes llegaran a un entendimiento con los comuneros, aunando sus esfuerzos contra la
monarquía: «Amenazan de dar sobre las villas y lugares de estos
Grandes y caballeros y si Vuestra Majestad se detuviese mucho,

se concertarían con ellos para excusar la destrucción de sus estados y todos serían unos [28 de noviembre de 1520].»

Hasta el momento de la victoria de Villalar el cardenal Adriano no dejaría de sentir la inquietud de una potencial alianza entre los Grandes y la Junta, movidos aquéllos por sus deseos de garantizar la integridad de sus dominios. Por eso aprobó todos los intentos por llegar a una solución pacífica del conflicto, aunque sin engañarse nunca respecto a los verdaderos sentimientos del almirante y los restantes señores. El rey, consciente del peligro, garantizó a la alta nobleza, indecisa a tomar partido por las posibles represalias de los rebeldes, la reparación de todos los gastos y quebrantos sufridos en sus propiedades, promesa que seguía siendo válida en caso de que se produjera un acuerdo entre la Corona y los comuneros. Esta actitud sirvió para afirmar los lazos entre los nobles y el rey. Contribuyeron con el dinero necesario y aportaron soldados y armas para formar un ejército que finalmente se puso en marcha el 5 de diciembre, después de haber retrasado el momento durante el mayor tiempo posible. Cuando los Grandes entraron en Tordesillas, no se decidieron a sacar todas las consecuencias de su éxito y liquidar la rebelión. Eso hubiera significado otorgar al rey una victoria demasiado completa y exponerse al mismo tiempo a las represalias de los comuneros, que desde el 5 de diciembre organizaron una violenta campaña contra los nobles, acusando a los que habían ocupado Tordesillas, organizando la expedición de Acuña en Tierra de Campos y sobre todo denunciando el papel nefasto que la nobleza había desempeñado siempre en el pasado. A este respecto constituye un documento de primera importancia la carta que envió la Comunidad de Valladolid al cardenal Adriano el 30 de enero de 1521. Los virreyes habían conminado a Valladolid a defender los intereses del rey, pues, en caso contrario, quedaría expuesta a todos los rigores de la guerra. He aquí cuál fue la respuesta de la Comunidad:

1.   Respecto al primer punto, ¿qué era defender los intereses del rey, qué era exactamente estar al servicio del rey?

Claro consta que la fidelidad y lealtad que al rey se debe consiste en obediencia de la personal real y pagándole lo que se le debe de lo temporal y poniendo las vidas cuando menester fuere[42].

Ninguna ciudad había perseguido nunca otros fines, y lo había demostrado constantemente en el pasado. No podía decirse lo mismo de los Grandes.

¿Quién prendió al rey don Juan [II] sino los Grandes? ¿Quién lo soltó e hizo reinar sino las Comunidades? [...] Véase la historia qué claro lo dice. Sucedió al rey don Juan el rey don Enrique, su hijo, al cual los Grandes depusieron de rey, alzando otro rey en Ávila, y las Comunidades y especialmente la nuestra de Valladolid le volvieron su cetro y silla real, echando a los traidores de ella. Bien saben vuestras señorías que al rey de Portugal los Grandes le metieron en Castilla porque los reyes de gloriosa memoria don Hernando y doña Isabel [...] no reinasen; las Comunidades lo vencieron y echaron de Castilla e hicieron pacíficamente reinar sus naturales reyes; y no hallarán vuestras señorías que jamás en España haya habido desobediencia sino por parte de los caballeros, ni obediencia y lealtad sino por parte de las Comunidades, en especial de la nuestra [...].

Y si vuestras señorías quisieren ver lo que toca a esta hacienda, verán claro que los pueblos son los que al rey enriquecen y los grandes

---

[42] Archivo General de Simancas, *Patronato Real,* leg. 4, fol. 49.

los que le empobrecen todo el reino. Vasallos, alcabalas, y otras infini-
tas rentas que eran del rey y los pueblos las pagan, ¿quién las tiró a sus
majestades sino los Grandes? Vean vuestras señorías cuán pocos pueblos quedan al rey, que de aquí a Santiago, que son cien leguas, no
tiene el rey sino tres lugares, y los Grandes poniéndolo en necesidades
y no sirviéndolo sino por sus propios intereses, le tomaron la mayor
parte de sus reinos, donde viene que sus majestades, no teniendo lo
temporal, que es lo que se les debe, son compelidos a echar e imponer
nuevos tributos y vejaciones en los reinos por los gobernadores [...], lo
cual los reinos y pueblos contradicen, no para tirar rentas a sus majestades sino para acrecentárselas y reducirlas a su mandado que les conviene. Verán vuestras señorías al presente por experiencia que los
Grandes que ahora ajuntan gente en este disimulado servicio le conta-
rán tanta suma de dineros que casi no basta a pagarlo con el resto de
su reino, y verán que los pueblos, sirviendo lealmente, procurando
acrecentamiento de su estado y corona real, se contentarán con que
sus majestades conocerán que no quisieron sus propios intereses sino
sólo el servicio común de su reino y rey. Pues vean vuestras señorías
cuál de estas partes se deba llamar leal, y quién quiere procurar con
verdad lo que a su rey conviene. Vean que el reino que quiere que el
rey sea rico ningún grande ni pequeño se le hubiese de levantar; lo que
es de César se dé a César, como dice el Redentor, y no a los Grandes,
como decimos, que desean sus propios intereses y que quieren acrecentar sus estados con disminución del real[43].

2.   Sobre el segundo punto Valladolid aceptaba el desafío:
que los Grandes pasaran al ataque. Desde luego, sería de su
parte una guerra injusta y acabarían siendo vencidos:

---

[43] *Ibid.*

Sabemos que de parte de vuestras señorías la guerra será injusta y de la nuestra será justa, pues por la libertad de nuestro rey y patria[44].

Ningún otro documento podría ilustrar mejor que este texto la evolución del movimiento comunero desde junio de 1520. La revolución adquirió entonces un marcado carácter social que le daba su verdadero significado: las Comunidades luchaban contra el poder real y contra la nobleza para tratar de imponer su supremacía política. La mayor parte de la nobleza se alineó entonces junto al poder real, pero el enfrentamiento con la Junta presenta matices regionales interesantes.

1.   En torno a Burgos y Palencia era una lucha sin cuartel: castillos destruidos, pillaje sistemático de los dominios de los señores. Estos ataques contra el régimen señorial eran muy populares y Acuña era recibido en todas partes cual libertador, como lo reconocen sus mismos enemigos.

2.   En la zona de Valladolid y Medina de Rioseco el enfrentamiento entre los señores y los comuneros fue menos violento. Ambos ejércitos permanecían vigilantes, pero el almirante trataba de evitar por todos los medios un enfrentamiento que hubiera supuesto la destrucción de su feudo. Ésta es la verdad con respecto a su voluntad de conciliación hasta la toma de Torrelobatón e incluso después.

3.   En la región de Toledo el marqués de Villena, los duques del Infantado y de Béjar e incluso otros grandes señores no eran menos hostiles a los comuneros, pero llegaron a un acuerdo tácito con los rebeldes, acuerdo que Acuña respetaría en sus líneas principales. Se trataba de una neutralidad armada: los

---

[44] *Ibid.*

comuneros no trataban de sublevar los señoríos, y los Grandes, por su parte, no hacían nada contra los rebeldes.

En resumen, podemos sacar las siguientes conclusiones:

1.   En contra de lo que pretende Marañón, es indudable que a partir del otoño de 1520 la revuelta de las Comunidades se presenta como un enfrentamiento entre la alta nobleza y las ciudades. El almirante de Castilla supo definir exactamente la situación: «En este reino, hubo dos partes; la una fue de comunidad, la otra de Grandes y caballeros.» Esta situación no fue impuesta voluntariamente por los comuneros; les vino dada por la sublevación espontánea de las poblaciones sometidas al régimen señorial. La Junta encontró entonces la oportunidad de precisar el sentido de la lucha.

2.   Los Grandes se decidieron a entrar en lucha con los comuneros no para defender al poder real, sino para salvar sus dominios. Nadie se engañaba sobre este punto, especialmente el cardenal Adriano:

[...] los Grandes han servido a Vuestra Majestad en esta jornada [Villalar] no solamente por vuestro servicio mas aun por temor que tenían a las Comunidades, porque tenían propósito de tomarles sus tierras y reducirlas a la corona [23 de mayo de 1521] [45].

3.   La rebelión fue aplastada por los Grandes y por nadie más. Tordesillas y Villalar constituyen dos victorias de la alta nobleza que no dejará de recordárselo al rey. El cardenal Adriano se creyó en la obligación de advertir al rey. Los Grandes estaban dispuestos a hacerle pagar cara la victoria:

---

[45] Carta del 23 de mayo de 1521 (Archivo General de Simancas, *Patronato Real,* leg. 2, fol. 1).

Cuanto a lo del acrecentamiento de sus casas, en alguna manera disminuye la gracia de sus merecimientos de ellos que lo suyo guardaban a costa de Vuestra Magestad [...]. Mucho querría que Vuestra Magestad de verdad supiese cuántas espueladas han sydo menester en estas revueltas y cuántas faltas y tardanzas ha hauido algunas vezes, cuando con poco gasto se pudieran remediar las cosas, y de qué manera se houo de dar certificación a algunos de la justicia de la guerra [...] y cómo sola la vergüenza les hizo poner en peligro sus personas [14 de agosto de 1521] [46].

Y en cuanto a la lealtad de la alta nobleza, lo que en verdad la había impulsado a actuar era su egoísmo de casta. ¿Hacía falta una prueba? En mayo de 1521 las tropas francesas invadieron Navarra, en octubre ocuparon Fuenterrabía, y todo esto no fue sino motivo de satisfacción para los Grandes; ahora esta nueva catástrofe nacional iba a constituir para ellos una nueva ocasión de enriquecerse:

Parece que a estos Grandes no pesa del triunfo de estos franceses, aunque puede ser que sea a fin que con esto puedan mostrar sus esfuerzos echando fuera a los dichos franceses, u otramente que recreciendo las necesidades de Vuestra Majestad se puedan ellos acrecentar las mercedes que esperan de Vuestra Majestad [24 de octubre de 1521].

… …

Aparejamos otra vez exército mas muy a passo, para que de muchos se diga públicamente que a algunos de los sátrapas les place las necesidades de Vuestra Magestad y para que con esto vendan sus servi-

---

[46] Carta del cardenal Adriano, 14 de agosto de 1521 (Archivo General de Simancas, *Patronato Real,* leg. 2, fol. 1).

cios caros, como en tiempos pasados se ha acostumbrado en Castilla. Plega a Dios que estos mesmos sátrapas no pongan secretamente el fuego que públicamente dessean que paresca querer ellos amatar[47].

Manuel Azaña resume de forma magistral la actitud de la alta nobleza castellana en 1520-1521: «Al brazo militar, o sea a los Grandes y caballeros, les importaba que el César venciese, que no venciese demasiado y que no venciese en seguida.» Fue indiscutiblemente esta reflexión la que impulsó la actitud de los nobles castellanos durante la crisis de las Comunidades.

LOS COMUNEROS

Ya conocemos los enemigos de la Comunidad: los nobles. Pero ¿quiénes eran los comuneros? El análisis cuidadoso del Perdón general de 1522 permite aportar los primeros elementos para una respuesta: 293 personas quedaron exceptuadas del Perdón, a las cuales podemos calificar como las más representativas de la rebelión. En efecto, Carlos V revisó personalmente con gran atención las listas de proscripción elaboradas por los virreyes antes de su regreso, añadiendo diversos nombres que habían sido olvidados deliberadamente. El Perdón refleja pues claramente la fisonomía de la revuelta de las Comunidades; en él figuran los iniciadores, algunos de sus más ardientes propagandistas, los jefes militares y también los representantes en la Junta, los funcionarios por ella designados y los principales responsables locales.

---

[47] Carta del cardenal Adriano, 24 de octubre de 1521 (Archivo General de Simancas, *Patronato Real,* leg. 2, fol. 1).

Nobles y caballeros

Entre los exceptuados, que se aproximaban en mayor o menor grado a la nobleza, se distinguen tres grandes categorías:

1. *Los señores de vasallos*. En este rango hay que situar a don Pedro Girón, al conde de Salvatierra, a Ramiro Núñez de Guzmán, don Pedro Maldonado, doña María Pacheco, hija del segundo conde de Tendilla...

2. *Los caballeros*, es decir, los miembros de las órdenes militares y los continuos, segundones que servían en principio en la guardia real: el comendador Luis de Quintanilla, don Juan de Mendoza, hijo natural del cardenal Mendoza...

3. *El patriciado urbano*: regidores asimilados desde hace tiempo a los caballeros: don Pedro Maldonado, Juan Bravo, don Pero Laso de la Vega, Juan de Padilla...

En suma, 63 exceptuados (una quinta parte del total) se hallan más o menos ligados a la aristocracia, si bien la mitad de entre ellos pertenecía a la oligarquía urbana. Es necesario hacer unas puntualizaciones respecto de estos aristócratas:

—La mayor parte de ellos desempeñaron un protagonismo político poco destacado en el movimiento comunero. Forman fundamentalmente los cuadros de las milicias urbanas y del ejército rebelde. Son ante todo militares al servicio de la revolución.

—Muchos de estos hombres se unieron a la Comunidad por razones que guardan escasa relación con la política. Forman lo que se ha denominado el grupo de los resentidos, relativamente numerosos, como sucede en todas las revoluciones, pero cuya importancia no debe exagerarse. Guevara ha contribuido

no poco a falsear la perspectiva. Según él, todo quedaría reducido a una cuestión de intereses individuales. Así Acuña soñaba
con llegar a ser arzobispo de Toledo; Padilla aspiraba a la supre-
ma dignidad de la orden de Santiago, etc. Sin lugar a dudas existieron resentidos entre los comuneros, y en especial en las filas
de la nobleza. No hace falta que nos refiramos de nuevo a los
motivos que guiaron la actitud de don Pedro Girón y del conde
de Salvatierra; desde luego, no fueron sus convicciones políticas
las que determinaron su adhesión a la Comunidad. Pero, dejando aparte estos casos personales, podemos señalar un grupo
importante de resentidos: los antiguos colaboradores del cardenal Cisneros, en 1516-1517, excluidos más tarde por Chièvres
de la administración.

   —Por último, los aristócratas que se unieron a la
Comunidad en la mayoría de los casos no le fueron fieles hasta
el final. Girón se retiró después de la toma de Tordesillas; don
Pero Laso de la Vega traicionó a sus amigos en febrero de 1521,
etc. Los virreyes defenderán más tarde a muchos de estos comuneros de ocasión: su escaso entusiasmo era la mejor prueba de la
falta de firmeza de sus convicciones. Queda por citar el núcleo
de los puros, de quienes se identificaron hasta el fin con la revolución y que, en no pocos casos, pagaron con su vida esta fidelidad. Fueron desde luego muy pocos: Padilla y su mujer, Juan
Bravo, don Pedro Maldonado y su primo Francisco. Se puede
poner en duda la identidad aristocrática de los tres citados en
último lugar. Juan Bravo, gracias a su matrimonio con una
Coronel, se había incorporado al círculo de los grandes negociantes de Segovia; los Maldonado pertenecían a una familia de
universitarios de Salamanca; sin duda, don Pedro era también
sobrino del conde de Benavente, que trató de salvarle la vida,
aunque no consiguió más que un aplazamiento; sería decapita-

do en Simancas al regreso de Carlos V. Esto ha llevado a Giménez Fernández a escribir, no sin razón: «Degollado [...] por haberse sentido más nieto de letrado que sobrino de Grande.»

En definitiva, la contribución de la aristocracia castellana a la revolución de las Comunidades resulta mucho menos importante de lo que se ha creído hasta ahora. Entre los caballeros fueron muy pocos los auténticos comuneros: como jefes militares carecían de influencia en la Junta; como procuradores, cambiaron varias veces de bando antes de que finalizara la guerra civil; y como simples simpatizantes eran objeto de continuas sospechas. Por lo demás, la presencia de estos aristócratas entre los exceptuados no modificaba en absoluto el fenómeno que se nos ha aparecido con perfecta claridad: el alineamiento en masa de la nobleza contra la Comunidad.

Las clases medias

Situamos en este apartado a cuantos no pertenecen a las órdenes privilegiadas, que no son hidalgos ni eclesiásticos y que obtienen su medio de vida de la práctica regular de una determinada profesión:

—*Labradores.* Un número relativamente elevado de exceptuados obtenía la mayor parte de sus ingresos de las tierras que hacían explotar a otros o que trabajaban ellos mismos directamente; en el Perdón eran unos 80 exceptuados.

—*Artesanos e industriales constituían un grupo numeroso y dispar.* Los oficios textiles merecen una mención especial: sastres, pasamaneros, hilanderos, tejedores, tundidores, tintoreros... Hay que considerar como industriales más que como obreros textiles a los dos hermanos Esquina, de Segovia, que tenían bastidores y un taller de tinte. Otros segovianos que figuran en el Perdón formaban parte del sector más dinámico de la ciudad: Luis de Cuéllar, que era copropietario de un lavadero, pero cuya principal actividad era el comercio de exportación; Antonio Suárez, uno de los grandes compradores de lana de la región de Segovia; importaba y revendía el pastel de Toulouse, artículo imprescindible para la industria textil; el boticario Antonio de Aguilar, durante los años 1520-1525, ya por propia cuenta o asociado con otros, se dedicó a la venta de lana y de pastel a los artesanos. Hay otros documentos que confirman que éstos no eran casos aislados y que los medios de negocio segovianos adoptaron en conjunto una actitud favorable a la Comunidad por la cual sufrieron fuertes presiones pecuniarias a la hora de la represión. Artesanos, comerciantes y burgueses sumaban en total unas 60 personas, la sexta parte de los exceptuados.

—Las profesiones liberales ostentaban la mayor representación en el Perdón. Había entre ellos tres boticarios, un cronista oficial (Gonzalo de Ayora), veinte notarios, magistrados, un brillante abogado de Valladolid, el licenciado Bernaldino de los Ríos, considerado como uno de los mejores juristas de España, algunos universitarios como el doctor Alonso de Zúñiga, catedrático de Salamanca, y finalmente la cohorte de cuantos habían pasado por las facultades de Derecho, algunos simples bachilleres, otros ya con el título de licenciado. En total, hay que calcular en más de 60 el número de los que quedaron exceptuados del Perdón, grupo importante no sólo cuantitativa, sino cualitativamente, ya que proporcionó a la revolución, junto con el estamento eclesiástico, sus cuadros políticos e ideológicos.

En definitiva, las dos terceras partes de los exceptuados pertenecían a las clases medias urbanas: ciudadanos que explotaban tierras, artesanos, comerciantes y letrados.

Los comuneros, en conjunto, no eran muy ricos: 54 poseían bienes de un valor inferior a los 100.000 maravedíes; 36
disponían de una renta anual de menos de 56.520. Y no hay
que olvidar a los más pobres, que no aparecen en las listas de
bienes confiscados, porque no poseían absolutamente nada; los
agentes del fisco se limitaban a anotar al lado de los nombres
estas palabras bien elocuentes: «No tenía ni tiene bienes algunos.» Probablemente la tercera parte de los exceptuados, quizá
más, se encontraba en este caso. Las grandes fortunas constituían la excepción. El más rico de los exceptuados, don Pedro
Maldonado, cuyos ingresos se acercaban a los 3 millones de
maravedíes, se hallaba muy por debajo del menos opulento de
los Grandes, el duque de Arcos, cuyos ingresos ascendían a unos
diez millones anuales.

Artesanos, comerciantes y letrados constituyen pues un
número elevado de los exceptuados del Perdón. Maravall concluye de este hecho que la burguesía urbana desempeñó un
papel primordial en el movimiento comunero. La expresión, sin
embargo, parece un tanto ambigua, por cuanto en el siglo XVI
la auténtica burguesía no aparece más que en las ciudades con
una actividad comercial o industrial importante. Ya sabemos
que en Burgos la burguesía se situó en contra de la Comunidad.
En Segovia los comerciantes e industriales adoptaron indudablemente una actitud opuesta a la de sus colegas de Burgos,
como lo prueban los exceptuados en el Perdón general. Esta
burguesía mercantil e industrial de Segovia abrazó la causa de
las Comunidades y ejerció responsabilidades políticas en el
movimiento insurreccional. Es cierto que tras la derrota trató de
minimizar la importancia de su papel. Según ellos, todos estos
negociantes habrían actuado movidos por el temor; amenazados
de muerte y con diversas represalias, no habrían tenido otro

remedio que aceptar los cargos que se les imponía. No debemos conceder excesiva importancia a estas justificaciones. Es indudable que sobre ellos debieron pesar ciertas amenazas, pero lo mismo sucedía en las demás ciudades, a pesar de lo cual los mercaderes burgaleses, por ejemplo, tomaron una postura abiertamente hostil a la Comunidad.

Los burgueses de Burgos y Segovia adoptaron una posición política opuesta. Los primeros combatieron la revolución; los segundos la impulsaron y ocuparon en ella puestos de responsabilidad. Estas divergencias políticas expresan con exactitud la oposición de intereses económicos que separaban, al menos desde hacía quince años, a los comerciantes de las regiones periféricas de los del interior, a los exportadores de los productores, al Consulado de Burgos y a los hombres de negocios de Cuenca y Segovia. Y tras considerar la actitud de la nobleza, también hostil a las Comunidades, creemos poder formular una hipótesis: los grandes propietarios y los grandes ganaderos se aliaron, junto con los exportadores, a la corona que podía garantizar sus privilegios; por su parte, los sectores sociales que se sentían heridos en sus intereses por aquéllos, agrupados geográficamente en el centro de la península, fueron los que apoyaron la revolución. Para verificar esta hipótesis sería necesario poder contar para Salamanca, Toledo, Madrid, Ávila, Zamora, entre otras ciudades, con una información tan completa como la de que disponemos en el caso de Burgos y Segovia. ¿Cuál fue la actitud que adoptaron en aquellas ciudades los comerciantes e industriales? Todo parece indicar que fue la misma que en Segovia. En muchos aspectos Segovia resulta una ciudad representativa de las dificultades con que topaba el desarrollo de la actividad económica en el centro de Castilla. Con esto no pretendemos decir que las contradicciones económicas entre el centro y la periferia puedan explicar por sí solas la revolución de las Comunidades, pero es indudable que estas contradicciones desempeñaron un papel muy importante —quizá determinante— en los acontecimientos políticos de los años 1520-1521.

El clero

La presencia de 21 miembros del clero completa la fisonomía de las Comunidades que obtenemos del Perdón de 1522. En primer lugar, aparecía Acuña, el fogoso obispo de Zamora, a quien el nuncio del Papa comparó, sin fundamento, con Lutero. Además de Acuña el clero secular se hallaba representado en el Perdón por unos doce priores, maestrescuelas, canónigos, etc. Las órdenes religiosas también aportaron un pequeño contingente a la rebelión. Entre ellos encontramos a franciscanos como fray Juan de Bilbao, uno de los redactores de la carta de los frailes de Salamanca en febrero de 1520 y, por tanto, uno de los teóricos e iniciadores del movimiento, 4 dominicos (entre ellos fray Alonso de Medina, hombre muy docto según Las Casas, y teórico asimismo de la revolución, fray Alonso de Bustillo, catedrático de Teología en Valladolid...).

Si el clero secular, a excepción de algunas individualidades y de los curas de las zonas rurales, adoptó una actitud reservada con respecto a la Comunidad, los frailes participaron de forma activa en la revolución, especialmente los franciscanos y dominicos. Las relaciones entre los franciscanos y los comuneros fueron siempre muy cordiales. La orden proporcionó a los comuneros un concurso muy eficaz. Tras los franciscanos fueron los dominicos quienes mostraron el mayor celo en defender y propagar las ideas revolucionarias. Tampoco en este caso faltaron las

Palacio Arzobispal de Alcalá de Henares.
(Foto: Excmo. Ayuntamiento de Alcalá de Henares.)

Universidad de Alcalá de Henares.
(Foto: Excmo. Ayuntamiento de Alcalá de Henares.)

Antiguo patio del Palacio Arzobispal de Alcalá de Henares.
(Foto: Excmo. Ayuntamiento de Alcalá de Henares.)

advertencias de los superiores que produjeron resultados varia-
bles. El cardenal Adriano llegó a escribir: «Orden es agraviada de
los crímenes y males que han hecho los frailes de ella y en casti-
garles será edificado todo el mundo [3 de noviembre de 1521].»

No obstante la publicación por el Papa de un breve en el
que se condenaba con la pena de excomunión a los eclesiásticos
comuneros, los miembros del clero, y especialmente los religiosos, con los franciscanos y dominicos en primer término, prestaron a la rebelión un apoyo muy eficaz. Como propagandistas
del movimiento no se recataron en denunciar a los flamencos
y sus cómplices, difundieron e hicieron acatar las consignas de
la Junta, inflamaron a los tibios y trasladaron la antorcha de la
revolución a todas las provincias, hasta el punto de provocar
la exasperación de los representantes del poder real, incapaces de
reaccionar ante una campaña tan insidiosa como eficaz. Habría

que conseguir su muerte, dijo el almirante, en un momento de ira. Y es que los frailes no fueron tan sólo propagandistas; todo nos induce a pensar que desempeñaron un papel importante en los pródromos de la crisis. Sus sermones subversivos de 1518 y 1519 prepararon los espíritus para los grandes acontecimientos revolucionarios que se producirían poco después. En las semanas que precedieron a la reunión de las Cortes de 1520 fue en los conventos donde acabó de perfilarse el programa político de la Comunidad y fueron los frailes los que le dieron difusión por todas las ciudades, fomentando la resistencia al poder central y favoreciendo la subversión. Los letrados y los frailes tuvieron una parte de suma importancia en el desencadenamiento de la revuelta. Supieron explotar el descontento real que iba ganando poco a poco a todas las capas sociales, analizaron la crisis que sufría la sociedad castellana y proporcionaron a los líderes de la rebelión las armas ideológicas y políticas que necesitaban.

En la revolución de las Comunidades ellos fueron los pensadores, los intelectuales, aportando las justificaciones ideológicas indispensables, desarrollando y propagando los puntos reivindicativos, fustigando a los enemigos y a los tibios y estimulando a los exaltados.

Muchos de estos frailes constituirían pocos años más tarde el núcleo de los adversarios de Erasmo. Este hecho indujo a Marañón a calificar al movimiento comunero como xenófobo y retrógrado. Su argumentación nos parece poco convincente. En su enfrentamiento con Erasmo los frailes no trataban de defender sino unos moldes de pensamiento y de comportamiento rutinarios en el campo espiritual; contra Carlos V sustentaban una serie de teorías políticas sobre las relaciones entre el soberano y sus súbditos que presentan aspectos muy modernos, si bien seguían anclados en el pensamiento más tradicional. Se apoyaban en la tradición escolástica, pero el contexto político de 1520 otorga a esta tradición un aspecto innovador. La participación de los letrados, universitarios y frailes proporcionó a la revolución de las Comunidades una firme base intelectual e ideológica, lo que explica el atractivo que ejerció sobre muchos espíritus en 1520-1521 e incluso mucho tiempo después.

CONVERSOS Y COMUNEROS

¿Fueron los conversos los que movieron la revuelta de las Comunidades de Castilla? ¿Desempeñaron por lo menos un papel relevante en aquel episodio? El problema se planteó ya a raíz de la revuelta; en el siglo XVI se venía diciendo que los conversos habían sido la causa del movimiento; pero desde hace unos años las teorías de Américo Castro y sus discípulos han dado mayor relieve al tema. Antes de contestar a aquellos interrogantes es preciso examinar los hechos, ver lo que se puede sacar de los textos y de los documentos.

No cabe duda de que en los mismos días de la revolución comunera varios observadores contemporáneos han achacado la responsabilidad de lo que pasaba entonces en Castilla a los conversos. El 7 de enero de 1521, el almirante de Castilla, uno de los tres virreyes, escribía al emperador: «La verdad es que todo el mal ha venido de conversos.» El almirante repite la acusación unos meses más tarde al contar el modo con que Acuña se había apoderado del arzobispado de Toledo: «El obispo de Zamora tomó posesión del arzobispado con la autoridad de los judíos y villanos del Zocodover.»

Otro virrey, el condestable de Castilla, escribía también, el 24 de mayo de 1521, es decir, un mes después de la derrota de los comuneros en Villalar: «La raíz de la revuelta de estos reinos han causado conversos.» El obispo de Burgos, Fonseca, y los inquisidores de Sevilla opinaban lo mismo en febrero y abril de 1521: para ellos, los conversos habían tenido un papel importantísimo en los acontecimientos de 1520-1521. De hecho, el 25 de febrero de 1521, el obispo de Burgos se mostraba convencido de que los conversos formaban el núcleo de los revolucionarios irreductibles:

Todos los pueblos, digo la parte de los offiçiales y cristianos viejos y labradores, ya conocen el engaño y maldad en que los an puesto, que los conversos, como de casta dura de çeruiz, tan duros están como el primero día sy ossasen, y déstos los más declarados en cada lugar son los tornadizos. Ansí que Vuestra Sacra Cesárea Majestad no tiene otros deseruidores sino los enemigos de Dios y los que lo fueron de vuestros avuelos[48].

He aquí unas cuantas opiniones contemporáneas de los hechos y que debemos a personas autorizadas, sea por los cargos que desempeñaron entonces, sea por su calidad de observadores privilegiados. No se trata de simples rumores, sino de juicios que parecen fundados y que llaman la atención por la personalidad de sus autores. Otras alusiones podríamos encontrar en los textos de la época. Estas opiniones contemporáneas se fundan en hechos fáciles de observar y comprobar documentalmente.

Entre los principales comuneros figuran personas de indudable origen converso. El caudillo de Segovia, Juan Bravo, estaba casado con la hija de Íñigo López Coronel, destacado converso y uno de los más influyentes comuneros de Segovia; la familia Zapata era conversa y varios de sus miembros participa-

---

[48] Archivo General de Simancas, *Patronato Real*, leg. 3, fol. 21.

ron de un modo muy activo en la revolución comunera de Toledo; lo mismo se puede decir de Saravia y de Pedro Tovar en Valladolid. Examinando la lista de los comuneros exceptuados del Perdón general de 1522 notamos muchos apellidos de conversos o que huelen a converso. Sabemos también que conversos ricos ofrecieron dinero a los comuneros, concretamente a Juan de Padilla, para que pudiera seguir luchando contra el poder real. En fin, ciudades como Valladolid, Segovia, Madrid, Toledo, donde existían importantes comunidades de conversos fueron desde el principio hasta el final reductos de la rebelión comunera. Todos estos hechos son indudables y permiten comprender las opiniones de los contemporáneos que vieron en la revuelta comunera una especie de complot de los conversos contra la sociedad y el poder real. En 1547 el cardenal Silíceo se hacía eco de aquellas opiniones cuando, para justificar el estatuto de limpieza de sangre que quería establecer en la catedral de Toledo, escribía que las Comunidades de Castilla habían sido provocadas por los conversos.

De ahí las conclusiones que varios historiadores han sacado de los hechos. Francisco Márquez Villanueva, buen conocedor de los problemas religiosos de la España del siglo XVI, escribe:

En cuanto a haber sido las Comunidades una revuelta esencialmente conversa era cosa muy sabida en la época y que los estudios de última hora muestran cada vez con mayor claridad[49].

Hace unos años, Juan Ignacio Gutiérrez Nieto ha escrito un artículo, «Los conversos y el movimiento comunero», en el

---

49 F. Márquez Villanueva, introd. a la edic. de H. de Talavera, *Católica impugnación*, Barcelona, 1961, p. 46, nota.

que concluye también que la revuelta no puede explicarse correctamente si se pasa por alto el papel relevante, y muchas veces determinante, de los conversos en los acontecimientos de 1520-1521.

Éste es precisamente el problema. Yo no niego los hechos; niego la conclusión que se pretende sacar de ellos, es decir, la idea de que la rebelión comunera fue esencialmente una manifestación de la general inquietud de los conversos por aquellos años. Veamos por qué.

Los contemporáneos endilgaron a los conversos la responsabilidad de la revuelta, es cierto, pero primero hay que observar que no todos los contemporáneos pensaron y escribieron lo mismo. Hubo quien dijo que los dominicos y los franciscanos tuvieron la culpa de todo lo que pasó, y no sin motivo, puesto que sabemos que los frailes sirvieron muchas veces de portavoces, de propagandistas de la rebelión. El cardenal Adriano atribuía mucha responsabilidad a los nobles, a ciertos Grandes que, según él, desencadenaron la revolución y luego lograron ocultar su participación. En varias crónicas de la época, se alude así al papel que desempeñaron los nobles en los primeros meses de la rebelión. Es decir, que la opinión según la cual los conversos fueron los instigadores del movimiento comunero no es unánime ni mucho menos; no hay que olvidar que, a raíz de los acontecimientos, otras opiniones existieron para acusar a los frailes o a los nobles. Todo esto no prueba absolutamente nada; no basta con repetir una afirmación para que se convierta en una realidad histórica. La frase del cardenal Silíceo tampoco prueba nada: en 1547 Silíceo se propone demostrar que los conversos constituyen un peligro social y por eso hay que excluirlos de los oficios y beneficios; es lógico en estas condiciones que aluda al movimiento comunero que había dejado recuerdos funestos en

PERDON CONCEDIDO A TOLEDO P®
EL EMPERADOR CARLOS V CON MO-
TIVO ÐL ALZAMIENTO Ð LAS COM/NI-
DADES, FIRMÁDO EN LA CIVDAD DE
VITORIA A 28 Ð OCTVBRE Ð MDXXI.

Este es el perdón que otorgaron los gobernadores —el cardenal Adriano de Utrecht, el condestable de Castilla y el almirante de Castilla— en nombre del emperador Carlos. Pero éste, al regresar a España, mandó al secretario Francisco de los Cobos que preparara una versión más restrictiva que Carlos V aprobó y firmó el 28 de octubre de 1522, y que fue promulgada solemnemente en Valladolid el 1 de noviembre de 1522. (Foto: Excmo. Ayuntamiento de Toledo, Archivo Municipal.)

Don carlos por la diuina clemençia Rey de romanos &. enperador
Semper augusto doña Johana Su madre y el mismo don carlos por la
gra de dios reyes de castilla de leon de aragon delas dos Seçilias de iherusalem
de nauarra de granada de toledo de valençia de galiçia de mallorcas de
Seuilla de çerdeña de cordoua de corçega de murçia de Jahen delos algar
ues de algezir a de gibraltar & delas yslas de canareia y delas yndias ys
las E tierra firme del mar oçeano condes de barcelona Senores de Bizcaya
E de molina duqs de athenas E de neopatria condes de Ruysellon E de çerda
nia marqs es de oristan E de poçeano archiduqs de austria duques de
borgoña E de brauante condes de flandes & de tyrol &. ∙ porquanto porqe
de vos el ayunta mi Justiçia Regidores caualleros Jurados es çibdores offiçials
y omes buenos dela muy noble çibdad de tole do nos es fecha relaçion que ya
Sabemos como son publicos y notorios en estos nros Reynos los leuantami etos
q en nro des Serviç algunas çibdades villas y lugares dellos hizieron y como
entre ellas essa dicha çibdad y al otros regidores caualleros Jurados escuderos
offiçiales y veçinos y moradores della y delos lugares y montes de Sntiva y
Jurediçion vos leuantastes aboz de comunidad en nro des serviç y en muchas
y prouincias conotras çibdades villas y lugares destos dichos nros Reynos
que Se leuantasen y Juntasen con vos otros a mismo fin p acuyo esseto hi
zistes muchos ayuntami etos y congregaçiones con yntençion de lleuar adelate
uro proposito y quitastes las varas dela nra Justiçia a las personas q por nos y
en nro nonbre las tenian y andouistes a los buscar para los matar y distes
las dichas varas de vra mano a otras personas para que vsasen y exerçiese
ros dichos offiçios en nonbre dessa dicha çibdad y çercastes y tomastes por
fuerça de armas los nros alcaçares puertas y puentes y torres dessa dicha
çibdad poniendo fuego y quemando las puertas del dicho nro alcaçar y hazi
endo portillos enlas paredes del y hechastes delos dichos al aca uez y pure
tas y puentes a los alcaides y otras peri onas que por nro mano dellos tenian
y nos apoderastes dellas y ynpusistes alcaides y otras personas que les tuuiese
de vra mano y al tpo que los tomastes y los apoderastes dellos fueron muertas
y heridas algunas personas y que de mas desto elegistes capitanes y enbiastes
conellos mucha gente de cauallo de pie y la gnal que mo y robo ç ores luegos
y derrocar algunas casas y otros hedefiçios y fortalezas assi en essa dicha çibdad
como fuera della y que assi mesmo enbi astes otra mucha ente de pie y de
cauallo conotros capitanes en fauor delos procuradores dela que Se dezia
Junta y de otros nros des enidores y para continuar el dicho vro proposito
La gnal dicha ente peleo muchas vezes con nros capitanes generales y par
ticulares y con las gentes q consigo trayia y combatistes y proçuramastes

de tomar la fortaleza del aguila y otras fortalezas y lugares que hera̅
de mis servidores y acogistes en essa dicha ciudad y en ella a don antonyo
de guevara obpo de camora y a otros mios deseruidores que con el fueron
y les distes favor y ayuda y gentes y artilleria para proseguir sus malos
y dañados propositos y para poder contra mis capitanes y gentes como
de hecho lo hizieron y tomastes mias rentas reales y los mi̅s del serui̅
cruzada y conpusicion que nos heran deuidas en essa dicha ciudad y en tierra
partido y que ansi mismo tomastes algunas platicas delas ylas y montes
tierras dessa dicha ciudad y hechastes ligas y repartimi̅s e ynposiçiones
en ella y en su tierra para seguir vo̅ proposito y no obedeçistes mias cartas
y mandamientos que quan libradas de mis visorreyes y gouernadores y delos
del mi̅o conseso y obedeçistes las prouisiones delos procuradores dela que
se dezia junta / y que de mas de lo suso dicho haviades hecho e cometido otros
muchos egçesos y graues delitos en mio deseru̅° y en menga e essa dicha
ciudad y los vezinos y moradores della y delos lugares y montes de su
tierra y su jurisdiçion estauades pacificos y obedientes y reduzidos al mio
seruiçio y mis haue ys entregado los dichos mios alcaçares y las puertas
y puentes de su dicha ciudad y quereys reçebir mi̅o corregidor y hazer
complir todo lo que por nos y por mis viso reyes y gouernadores vos fuere
mandado / por ende que nos suplicauades y pedides por mi̅d q̅ vsando
con vosotros de clemençia y piedad vos perdonase mis y remitiesemos toda
justiçia çevil y criminal y quales quier penas de muertes y de perdimi̅ de
bienes en que vos otros y vi̅os capitanes y gentes que vos havian ayudado
y favoreçido en las cosas suso dichas y havian estado con vias banderas
hauiades caydo y encurrido y vos conçediesemos çiertos capitulos
y gentil prelor de san johan mi̅o capitan general del reyno de toledo y vos
otros fueron platicados / como la mi̅a m̅cd fuese. lo qual todo visto por
los dichos mi̅os visorreyes y gouernadores y por algunos delos del mi̅o
conseso y los dichos capitulos / vsando con la dicha ciudad de toledo y vos y
moradores della y delos lugares de su tierra y montes y su jurisdiçion de cle
mençia y piedad y por vos hazer bien y m̅cd fue acordado que deui amos
mandar dar esta mi̅a carta en la dicha razon e por la qual en quanto
a lo que peña por los dichos capitulos que essa dicha ciudad de toledo q̅ da se
por leal y se diese perdon general y uniuersal y particular mente a todos
los vezinos y moradores della y su tierra y propios y montes della y a las
personas y bienes y a los estrangeros que estuuieron en seru̅° dela dicha
ciudad / visto que la dicha ciudad se reduze mi̅o seru̅° se restituye y la
 ciudad y los estudos en toda su lealtad que ella tuuo y tuuieses vos otros y vi̅os

pasados antes quelas susodhas cosas acaesciesen / y enlo del perdon general
dezimos que sacando los exeptados quela dicha ciudad declara / y los exeptados
y en otras ciudades si en ella huviesen do estan bivos y danos y concedemos el dicho
perdon / y enlo que toca alos vezinos de moura assi mismo les perdonamos toda la
n͂ra Justicia civil y criminal salvo el deño y Justicia delas partes / y perdo
namos las mismas q̃ contra n͂ra Justicia enlas dichas alteraciones fueron
fechas / otras enlo que toca al perjuyzio daño e ynterese de tercero y bienes
delas personas q̃ han seydo dapnificadas / perdonamos los dichos dapnos
en quanto alo que toca alla n͂ra Justicia salvo el deño delas partes aquien toca
y mandamos que se sobresea en la demanda dellos hasta q̃ yo el Rey con la veñda de
n͂ro Señor venga a estos n͂ros reynos de castilla / y que estonces las partes pueda
demandar alos dapnificadores / y la dha ciudad si quisiere ponga pro curador
que es ponga y que lo q̃ de / oviere de pagar sea por disso por repartim͂to y se
ven tido por Justicia / y enlo entregade las puertas / y puentes / y alcaçar dela
dicha ciudad mandamos que se den y entreguen al n͂ro corregidor dela dha
ciudad para que ponga personas fiables / y syn sospecha / y enlo del capit
delas alcavalas mandamos que se vea por Justicia lo mas breve mente que
ser pueda / y que entre tanto q̃ se determina se conserve la possession n͂ra y de
n͂ra corona / y q̃ en lo que toca alas previllejos libertades / y franquezas buenos
usos y costumbres dela dicha ciudad / mandamos que se guarden y cumplan
oy como q̃ hasta aqui se han guardado / y complido / y se los de confir
macion dellos enforma si la quisieren / otrosi en lo que toca alos contados
mandamos que los podays tener hasta q̃ yo el Rey sea consultado sobrello
y mande lo q̃ se deva hazer / pero q̃ nos es mente oy n͂el corregidor dela dha
ciudad y enlo del perdon delos clerigos y absolucion procuraremos con n͂ro
muy Santo padre para que su santidad lo conceda / y mandaremos dar las
cartas n͂ras que para ello fueren necesarias / y ten enlo q̃ toca al negocio de
Johan de padilla y que se den / y en cia da a su hijo los bienes y officios quel dicho
su padre tenia / y en hazienda / y que se alçe el enbargo de sus bienes / y no se los
puedan pedir ni de mandar en ningun t͂po por este caso / y que pueda heredar
yguales quier otros bienes / y q̃ el q̃ un prometio de procurar conmigo el Rey lo q̃ toca
ala honrra de Johan de padilla / y q̃ es n͂en los q̃ es a traydo a toledo / y que yo el Rey
lo deseo con petente / deste mes q̃ concede mos este deseo q̃ se pide por parte de
doña maria pacheco / y en quanto al cuerpo del dicho Johan de padilla de mas
licencia q̃ lo puedan sacar donde esta sepultado / y poner lo enel monest͂o dela
mejorada cerca dela villa de olmedo / y q̃ esta alli depositado so cermissos / los q̃ es
passados se pueda traer a la ciudad de toledo / otrosi mandaremos luego nombrar
corregidor / y alcaldes de alçadas en la dha ciudad q̃ sean personas sin sospecha y guales

conuenga pa nro seruiçio y paz y sosiego dela dicha ciudad y vos y m
y enlo que toca alos ausentes que pedis que entren enla dicha çiudad
personas que al corregidor pareçiere hauida ynformaçion deçiudad
que por el bien y paz dela çiudad y escandalos no deuen entrar hasta
ynformados dela causa / mandamos que el dicho corregidor reçiba
e la ynformaçion y lo prouea como sea justiçia y conuenga ala paz
çiudad / y enloque pedis que el corregidor y justiçia que entrare enla dicha
obligados a mirar de guardar todo lo suso dicho / y de no conoçer dello
y de noyr ni venir contraesta mia carta y prouision en manera
damos que se haga y lo guarden y cumplan / y enlo que assi mismo y
dichos mios visoreyes y gouernadores fuesen contra el dicho de
este perdon y capitulos firmados de mi el rey / dezimos que los dichos mi
procuraran con todas vras fuerças quanto en si fuere que se traya y
confirmada de mi el rey / y enlo que toca ala differençia del conde
dezimos assi mismo que se suplicara a mi el rey para que vos m
lo que sea justiçia / otrosi enlo que pedis que los capitulos que es el dicho concedidas e
desillas que se suplicase a mi el rey que los conçediese / los dichos m
han procurado y procuraran sobrello en lo dicho que conuenga a m
de nros reynos y desa çiudad / y despues de venido y oel rey en ello
nro señor los mandara conçeder y proueer lo que sea seruiçio de dios y
pro comun delos dichos mios reynos / y enloque pedis que puediesedes gozar
las otras çiudades y villas y lugares se han conçedido / dezimos que
aqui se os conçede los o nos contenteys delo que se ha conçedido a qualque
çiudades / otrosi enlo que por parte desa dicha çiudad se pide que en el
que habla de rentas a mortegados confirmamos y otras cosas que ayneçe
a nel dicho prior pro onze y fraie de procuran que se quiten pues que es bien
que lo sea a esto dezimos que mandaremos a nro corregidor que aya ynformaçion
so dicho y mandaremos que se prouea loque sea justiçia y se quiten m
çiones / y enquanto al capitulo de no sacar los delinquentes a jurar
çiudad de toledo se res ponde que en el cap dela confirmaçion delos pro
comprehende pues dezis que lo teneys por preu / otrosi aloque pedi
çiudades para esto neçesarias se deuiesen por amias partes como pareçiese
y alos dichos mios gouernadores y preuilegios en pleyto o menaje de
de un breue termino este perdon y capitulos firmado de mi el rey
bien que se de conformidad por vra parte y que mios gouernadores con
daran guardar y cumplir lo en estos dichos capitulos contenido / y en
firma del dicho perdon y esta respondido / lo qual todo que
prouisiones del dicho perdon y dela manera que se ha de tener en el pedi
delos dapnos hechos apres durante las dichas cosas passadas.

ciudad de vitoria a veynte y cinco dias deste presente mes de otubre de qujs y
veynte y vn años / en que se espresa larga mente todo lo que trae a los dias dos casos
mondamos que se pnarede y cumpla como dichoes y en las dos provissiones se
contiene cada vna dellas en lo que dispone sin falta ndimjnj y con algo ma / y man
damos al nro justicia mayor y a los del nro consejo y oydores delas nras audi
encias atldes alonzjlesde la nra casa y corte y chancelleria y a todos los
corregores justicias regidores cavalleros escuderos officiales y omes buenos assi
dela dicha ciudad de toledo como de todos las otras ciudades villas y lugares destros
nros reynos y señorios y a cada vno y qual qujer dellos a qujen llo nso dicho Coqual
qujer cosa so parte dello tocase atañe que guarden y cumplan y hagan guardar y
cumplir lo en esta nra carta contenjdo entodo y portodo segund y como en ella se
contiene y quecnello nienparte dello no pongan ni consientan poner y mpedj mj
algomo antes den / y hagan dar para el cumplimj y execucion delo snso dicho y
qual qjer cosa y parte dello todo el favor y ayuda que por la dicha cjudad de y sus
procuradores en su nombre les fuere pedido sy m poner en ello ni consentir qe que
pongas cusa ndila cion ale orma / é los vnos ni los otros non fagades nrsagas endeal
por algoma manera so pena dela nra mcd é de diez mill mrs para la nra camancti
a cada vno que lo contrario hiziere. de dada en la cjudad de vitoria a veynte y ocho
dias del mes de otnbredeldia del naci mj de nro Salvador jhuxpo de mill y qujs
y veynte y vn años /

lo que se concede acordo cerca de las cosas que se deje.

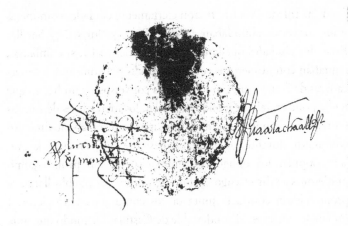

Castilla. En esta diversidad de pareceres sobre los orígenes de la rebelión comunera hay que ver sobre todo una prueba de lo difícil que resulta encontrar una explicación única y sencilla para un problema tan complejo.

Ahora bien, los historiadores que atribuyen una gran influencia a los conversos en el movimiento comunero se apoyan también en hechos, pero pasa con los hechos lo mismo que con las opiniones: cada uno va a su tema, destaca los que pueden servirle para su interpretación y no tiene en cuenta otros que podrían invalidarla.

Ya he dicho que muchos comuneros y de los más importantes fueron conversos. Pero también veo que muchos conversos lucharon en el bando real contra los comuneros o hicieron propaganda activa contra los enemigos del rey: Francisco López de Villalobos, Alonso Gutiérrez de Madrid, los hermanos Vozmediano y otros muchos, de gran influencia económica o social, no dudaron en alistarse en las filas del bando real y contribuyeron poderosamente a derrotar a los comuneros. Valladolid,

Segovia, Toledo, Madrid fueron ciertamente ciudades comuneras y los conversos abundaban en ellas. Pero ¿y Burgos? ¿y Sevilla? Estas dos ciudades quedaron leales al poder real y, sin embargo, contaban con numerosos conversos. Todos sabemos que los mercaderes de Burgos eran muchas veces conversos; es un hecho que nadie pone en tela de juicio. Pues bien, los mercaderes de Burgos estuvieron siempre, desde el principio, contra el movimiento comunero; durante los primeros meses de la revolución, la presión popular los obligó a disimular, pero, tan pronto como pudieron sacudir el yugo de los artesanos y del pueblo llano, se pronunciaron contra la Junta de los comuneros y acogieron a uno de los virreyes, el condestable de Castilla. De modo que toda conclusión requiere mucha prudencia. Hubo conversos, y muchos, en las filas comuneras, lo cual es lógico, puesto que el movimiento comunero fue un movimiento, no exclusivamente, pero sí principalmente urbano y sabemos que los conversos eran más numerosos en las ciudades que en el campo. Por otra parte, encontramos también conversos, e importantes, en el bando real. Hasta aquí no se puede concluir que los conversos desempeñaran un papel determinante en la rebelión.

Pero es legítimo mirar las cosas con un criterio más amplio. La participación de los conversos en el movimiento comunero no se puede medir únicamente desde un punto de vista meramente estadístico. Hay que dar mayor alcance al problema. ¿Qué podía representar la Comunidad para el grupo social de los conversos? ¿Tenían interés los conversos como tales, como grupo social, en que triunfara la revolución? En este caso sí se podría pensar que hubieran desempeñado un papel importante, como grupo, pese a ciertas discrepancias individuales.

Como grupo social los conversos estaban interesados en una supresión del Tribunal de la Inquisición o, por lo menos, en una reforma de los procedimientos del Santo Oficio. En años anteriores ya habían intentado reformas de este tipo y es lógico que pensaran en aprovechar la coyuntura política de los años 1520 para reanudar la lucha contra una institución que representaba una amenaza constante y directa contra ellos, para sus bienes, su honor, su existencia misma. De modo que el problema se reduce al siguiente: el triunfo de la Comunidad, ¿hubiera significado la ruina de la Inquisición? La cosa no es tan clara como se ha dicho. En los años 1520-1521 se rumoreaba que los comuneros iban a suprimir la Inquisición. «Dicen que no habrá inquisición», escribe el almirante el 15 de abril de 1521. Se trataba de rumores infundados. He manejado mucha documentación sobre los comuneros y nunca he podido encontrar textos o hechos que apoyaran estos rumores; al contrario.

En las instrucciones que remitió a sus representantes la Comunidad de Valladolid a la Junta figura un artículo sobre confiscaciones de bienes; la Comunidad de Valladolid exige que esta pena desaparezca del derecho castellano pero admite dos excepciones: cuando se trata de un crimen de lesa majestad y cuando se trata de un crimen de herejía. Esta restricción no es precisamente favorable a los conversos. Las mismas instrucciones de Valladolid llevaban tres artículos sobre la Inquisición que luego desaparecieron; no sabemos lo que decían estos artículos; podemos hacer sólo hipótesis, pero no veo ningún motivo para pensar que se trataba de reformar la Inquisición, ya que en un artículo anterior se pedía la confiscación de los bienes de los herejes. Las instrucciones de la Comunidad de Burgos, redactadas cuando esta ciudad estaba todavía representada en la Junta, dicen textualmente: «Que no se dé carta de habilidad para haber oficio a hijo de hombre quemado ni reconciliado.» Es decir que estas instrucciones exigen algo semejante a los estatutos de limpieza de sangre: la exclusión de ciertos conversos de los oficios y beneficios. Los demás textos oficiales de la Junta de los comuneros no contienen ninguna alusión a la Inquisición: no se puede saber con seguridad cuál era la posición oficial de la Junta, ya que ella no creyó oportuno o conveniente tratar este tema.

Pero si no sabemos lo que pensaban los jefes comuneros de la Inquisición, conocemos su actuación en varias ocasiones. Concretamente procuraron no incurrir en la acusación de impedir el funcionamiento del Santo Oficio. En este aspecto es interesante estudiar lo que pasó en la Santa Junta el 12 de febrero de 1521. Por los cuadernos de la Junta nos enteramos que aquel día hubo una discusión sobre ciertos fondos de la Inquisición que los comuneros de Zamora habían tomado en un convento. Varios procuradores opinan que la Junta debe utilizar estos fondos para pagar a la gente de guerra, ya que los comuneros se hallan frente a una situación financiera difícil. Pero la mayoría de la Junta protesta: en este caso, dicen los procuradores, no se trata de una mera cuestión de dinero; si la Junta embarga estos fondos, va a impedir el funcionamiento del Tribunal de la Inquisición, lo cual es impensable. El incidente es significativo: la Junta no tiene tantos escrúpulos en embargar los fondos de la bula de la Cruzada, de los conventos, de las iglesias; piensa que se halla en una situación de emergencia y hay que aprovechar todo el dinero que se encuentre, incluso si es dinero de la Iglesia. Pero tratándose de fondos de la Inquisición, los procuradores sienten escrúpulos: no quieren impedir la buena marcha del Tribunal. Francamente, parece difícil compaginar esta actitud con una posición política de hostilidad a la Inquisición. No pretendo demostrar que los comuneros fueran partidarios de la Inquisición; digo simplemente que el problema es mucho más complejo de lo que se cree; pienso que el movimiento comunero era más bien de signo progresista y que su triunfo hubiera significado tal vez una mejora en los procedimientos inquisitoriales. Quizá: no creo que se pueda llegar a una conclusión definitiva. Los textos y los hechos no permiten tal conclusión. Pero en el fondo no creo que los comuneros estuvieran dispuestos a acabar completamente con la Inquisición; no lo creo por un motivo en el que no se repara lo bastante: y es que en el movimiento comunero la influencia de los frailes dominicos y franciscanos fue siempre considerable. Los frailes, no sólo fueron activos propagandistas de la revolución, con sus sermones y sus pláticas, sino que además fueron los teóricos de la revolución, los que redactaban los programas y las instrucciones. Ya sabemos que los frailes no pueden generalmente considerarse como favorables a los conversos; al contrario, puesto que los inquisidores se reclutaban con frecuencia entre dominicos y franciscanos.

En resumidas cuentas, me parece difícil mantener la tesis de que los conversos fueron la causa del movimiento comunero o que desempeñaran un papel determinante en la rebelión. Este movimiento fue, ante todo, un movimiento político y hay que estudiarlo como tal. Tuvo causas profundas en la situación de Castilla a principios del siglo XVI; en esta situación los problemas religiosos tuvieron su importancia, pero no fueron los únicos ni los más preocupantes. La revolución trató de cambiar el régimen político de Castilla y la división del reino, la guerra civil, entre comuneros y anticomuneros, descansaba sobre todo en motivos políticos. Los conversos, como tales, no tenían por qué intervenir: unos tuvieron simpatías hacia los comuneros, no porque fueran conversos, sino porque compartían ideas políticas; otros fueron anticomuneros, y lo que les movió fue también una idea política. Américo Castro ha tenido el gran mérito de llamar la atención sobre la situación y el drama de los conversos; muchos aspectos de la historia de España no se explican bien si no se tiene en cuenta esta situación. Muchos aspectos, no todos; no siempre conviene enfocar el problema únicamente desde el punto de vista religioso. En el caso de las Comunidades las ideas de Américo Castro no parecen conformarse con lo que leemos en los textos y documentos y eso porque en aquella época no creo que los conversos formaran un grupo homogéneo: les unía su solidaridad de víctimas virtuales de la Inquisición; pero sus ideas políticas no eran ni podían ser las mismas. J. A. Maravall llega a las mismas conclusiones y sus palabras, a mi modo de ver, expresan perfectamente lo que yo mismo pienso:

No cabe ninguna caracterización del movimiento de las Comunidades, entendida como revuelta de conversos o contra ellos. Se trata de algo mucho más hondo y general. Por esta misma razón, es natural que hubiera conversos entre los rebeldes. Los hay en todas las manifestaciones de la vida española, porque probablemente el factor judío no falta en ninguno de los aspectos de la cultura europea. Que psicológicamente algunos judíos y conversos pudieran sentirse inclinados a la rebelión como reacción contra violencias sufridas es cosa que podemos tener por segura. Pero esto no define el movimiento ni lo distingue de otros[50].

---

[50] J. A. Maravall, *Las Comunidades*, pp. 227-228.

VII. LA SANTA COMUNIDAD

LA COMUNIDAD

Las Comunidades procuran acabar con la situación privilegiada que ocupan los caballeros en muchos municipios y limitar las prerrogativas de la Corona. La Comunidad, paralelamente a su expresión como proyecto revolucionario, se organizó en la base como democracia directa. Para la inmensa mayoría de quienes los vivieron, los acontecimientos de los años 1520-1521 supusieron un cambio radical. El pueblo intervino, muchas veces de forma tumultuosa, en la vida política. Se le pidió su opinión sobre los grandes temas, pero su interés primordial radicaba en la participación, en el plano local, en la administración de su propia comunidad. Las asambleas de barrio discutían tanto los problemas menores como las grandes cuestiones y ratificaban o rechazaban las decisiones tomadas por las jerarquías superiores y, en definitiva, tenían la sensación de participar de forma activa en el gobierno de la ciudad y en la elaboración de las grandes orientaciones políticas. De forma gradual, en todas las ciudades adheridas al movimiento insurreccional se fueron creando organismos de discusión, de gestión y de dirección originales, de estructura flexible, que con frecuencia variaban de una a otra localidad. Los principios generales eran los mismos en todas partes, pero su aplicación quedaba a la iniciativa de los interesados. Así, cada ciudad elaboraba su propio sistema de dirección y de consulta a la población. Los lugares más tardíamente incorporados a la insurrección se inspiraban en las formas elaboradas en otras partes, pero sin sentirse obligado a reproducir un modelo impuesto. Lo esencial era que el poder residiera en la base, en la comunidad, término de difícil definición, por cuanto era utilizado en sentidos distintos: tanto podía significar el conjunto de la población como tener un sentido más restringido para designar el órgano de dirección. Esta flexibilidad y variedad constituyen, a un tiempo, la riqueza y la complejidad de ese movimiento popular que fueron las Comunidades.

Desde principios del siglo XV los municipios de Castilla están gobernados por una oligarquía cerrada que no es ni mucho menos representativa de la población. Los comuneros introducen cambios en dicha situación primero permitiendo que entren a formar parte de los ayuntamientos representantes de las diversas clases sociales (clérigos, hidalgos, pecheros) y representantes de los distritos urbanos. Puede asimilarse esta modificación a una tendencia todavía confusa e imprecisa a una mayor democratización de la vida municipal. En todas las ciudades en las que triunfó la revolución, el regimiento tradicional, formado por notables que se transmitían su oficio de padre a hijo, se amplió en un organismo más representativo que podía recibir nombres distintos: «congregación» en Valladolid, «junta» en Zamora y Palencia, e incluso «comunidad», en el sentido limitado de la palabra, en otras partes. Los regidores —al menos los que aceptaron el nuevo ordenamiento— continuaron formando parte de la asamblea municipal; se les invitaba a ella e incluso en ocasiones se les obligaba so pena de severas sanciones. Muy pocos fueron los casos en los que se les excluyó de la participación en las responsabilidades. Es cierto, sin embargo, que la mayoría de las veces perdieron todo su prestigio y autoridad efectiva. A su cargo quedaba la gestión de los asuntos administrativos rutinarios, en tanto que quedaban completamente al margen de las responsabilidades propiamente políticas y de todo poder de decisión.

Dos nuevas categorías pasaron a formar parte de la asamblea municipal:

1. Los representantes de los estados tradicionales (clero, caballeros y escuderos, hombres buenos pecheros), cuya participación era deseada por los nuevos dueños de la ciudad e impuesta en muchas ocasiones. Esta voluntad de asociar a todas las categorías sociales a las tareas comunes y a las responsabilidades políticas expresa una preocupación fundamental en los comuneros: la de asegurar la cohesión de la ciudad mediante la unión y —si tal era posible— la unanimidad de sus habitantes en el seno de una comunidad orgánica de la que quedaban excluidos los traidores y los sospechosos, quedando estos últimos al descubierto al negarse a tomar parte en la acción colectiva.

2. A los representantes de los estados se añadían los elementos elegidos directamente por la población, los *diputados* a razón de dos por parroquia o barrio (*cuadrillas* de Valladolid, *colaciones* de Segovia y Ciudad Rodrigo, *ochavas* de Toro, *parroquias* de Toledo, vecindades de Burgos, etc.). Estos diputados constituyen la originalidad del movimiento comunero en la base. Más que los regidores, relegados a funciones secundarias, más que los representantes de los estamentos privilegiados, cuya participación era fundamentalmente simbólica, eran ellos los que dirigían la ciudad y quienes detentaban los más amplios poderes. Ellos parecían ser los únicos con derecho a voto en los

debates, en tanto que salvo excepciones los restantes miembros de la asamblea se limitaban a una labor consultiva. En los documentos de la época la adhesión de una ciudad a la comunidad aparecía siempre como una transferencia de poderes del corregidor y del regimiento tradicionales a los diputados, y la Junta General concedía una gran importancia a su elección. Se preocupaba de que fueran elegidas para estas funciones personas verdaderamente representativas, pero al mismo tiempo pretendía asegurarse la colaboración de los más competentes.

3. Así formada, la asamblea municipal se reunía en forma regular, a veces incluso cada día, y presidida por regla general por una personalidad que podía ser el corregidor, en caso de que la Junta General hubiera designado un funcionario de tal rango, o su equivalente: *justicia mayor* en Madrid, *capitán general* en Valladolid, *caudillo* en Zamora, aunque esto no era obligado. Ya designado por la Junta o elegido por la población, el corregidor no era, por derecho, el presidente del concejo municipal. Ciudades como Valladolid, Toledo y Segovia no tuvieron nunca corregidores durante el conflicto de las Comunidades. La intervención de la población en la vida política se realizaba gracias a la institución de los diputados, elegidos y revocables, pero en ocasiones esta participación adoptaba formas mucho más directas. Las sesiones de la junta local eran públicas, donde todo el mundo podía asistir, en principio, y dar su opinión. Esta vuelta a la práctica del concejo abierto de la época medieval no tuvo —al parecer— gran duración. Por razones de eficacia los comuneros renunciaron a los ayuntamientos públicos, pero no por ello dejó la población de estar directamente involucrada en la acción de sus representantes. Esta participación quedó institucionalizada mediante las asambleas de barrio, que se reunían a intervalos irregulares y debido a circunstancias diversas. Las

cuestiones políticas vuelven así a debatirse en los concejos. Es algo que corresponde a un amplio deseo. Ya en 1517 Diego Ramírez de Villaescusa, presidente de la Chancillería de Valladolid, le escribía al cardenal Cisneros que le parecía conveniente templar el excesivo mando de los regidores.

LA SANTA JUNTA

La asamblea que se había convocado y que se reunió en Ávila en agosto de 1520 se proponía en principio examinar la situación del reino y estudiar las reformas que debían ser emprendidas. En realidad, alimentaba mayores ambiciones que salieron a la luz después de su traslado a Tordesillas en el mes de septiembre. Apoyándose en la autoridad de la reina, que había recogido Padilla en su entrevista con ella, la asamblea se proclamó entonces *Cortes y Junta General del reino*, título que habría de conservar hasta el fin de la guerra civil y que expresa el doble carácter de la institución. Como Cortes, la asamblea reunía a los procuradores de las ciudades con voz y voto en ellas; sobre esta base se consideraba cualificada para discutir las reformas que se debían implantar en el país. Como Junta General del reino, la asamblea actuaba como un auténtico gobierno, concentrando todos los poderes del Estado, y aparecía como el órgano supremo de la revolución. Esta dualidad no fue formulada nunca claramente, pero se desprende de la práctica de actuación de la Santa Junta (tal era el nombre que se daba a sí misma y con el que la conocían sus partidarios) desde su asentamiento en Tordesillas, y los contemporáneos no se engañaron al respecto. Burgos aceptó el papel consultivo de la Junta —organismo de discusión y deliberación— pero se negó a ver en ella un elemento ejecutivo, un gobierno revolucionario. Fue esta divergencia fundamental la que le sirvió de pretexto para romper con los comuneros. Otros procuradores compartían estas reticencias, aunque sin expresarlas con tanta claridad y, sobre todo, sin tomar una postura tan firme, pero esta ambigüedad no dejaba de flotar sobre la asamblea; una parte de sus miembros se mostraría solidaria, en el futuro, de una línea de conducta que no aprobaba completamente.

A esta ambigüedad sobre la naturaleza y el objeto de la Junta se añadía una segunda causa de malestar que yacía en la misma composición de la asamblea. Elegidos para poner en marcha un programa reivindicativo, muchos procuradores no estaban dispuestos a desempeñar el papel que en realidad les correspondió: el de responsables políticos encargados de animar y dirigir la revolución. En agosto y septiembre de 1520 las ciudades enviaron a Tordesillas hombres representativos de todas las categorías sociales: regidores, caballeros, eclesiásticos, letrados, teólogos, hombres del pueblo (es decir, comuneros en el sentido estricto de la palabra), lo cual se comprende perfectamente, ya que el primer objetivo de la Junta era restablecer el orden en el reino y, por tanto, necesitaba recoger la opinión de las personas más autorizadas y más representativas de los diversos medios sociales. Una especie de unión nacional quedó establecida a raíz de las primeras sesiones de la Junta y los jefes del movimiento no podían sino sentirse satisfechos por este amplio acuerdo que permitía aislar a los representantes del poder real.

Cuando la Junta se transformó en gobierno revolucionario sin dejar de ser una asamblea representativa y deliberativa y, sobre todo, cuando tras la aparente unanimidad de los primeros momentos comenzó a delinearse la rivalidad de los dos grupos antagónicos, muchos procuradores se encontraron cogidos en la trampa. Aceptaron asistir a las sesiones de la Junta arrastrados por la poderosa corriente que conmovió al país tras el incendio de Medina del Campo; la indignación contra los flamencos y sus cómplices se mezclaba con el entusiasmo popular y con la voluntad de reorganizar el país. Se sentían seguros de que el poder real se rendiría rápidamente y concedería las reformas solicitadas. Pero el núcleo inicial de la Junta planeaba explotar a fondo su victoria; Padilla se instaló en Tordesillas y la Junta decidió disolver el Consejo Real. Muchos procuradores no compartían el ardor revolucionario que demostraban algunos de sus colegas. Pese a ello siguieron en su puesto, participando contra sus auténticos sentimientos en un movimiento que los superaba y que desaprobaban sin atreverse a decirlo abiertamente. Y es que se veían obligados a continuar en su puesto coaccionados por sus mandatarios que no eran ya electores complacientes como al principio —caballeros y comuneros mezclados—, sino auténticos militantes, encuadrados por diputados celosos e intransigentes.

Por lo demás, tampoco era tan importante modificar la representación de algunas ciudades. Los procuradores, sometidos a la doble presión de sus electores y de la comunidad de Valladolid, sede de la Junta, acababan casi siempre inclinándose y aceptando las decisiones más extremistas. Esto explica la constante tensión entre la Junta general y la comunidad de Valladolid en la última etapa del movimiento comunero. La mayor parte de los procuradores deseaba llegar a un entendimiento con los nobles y el poder real, pero no se atrevían a proclamarlo abiertamente porque se sabían vigilados por las cuadrillas de Valladolid. Don Pero Laso de la Vega tomó la decisión más lógica, dadas las circunstancias: traicionó la insurrección y pasó al bando contrario. Otros procuradores se limitaron a desaprobar las formas más brutales de la guerra (pillajes, detenciones arbitrarias...) y a proseguir las negociaciones con el adversario con la esperanza de

conseguir una paz de compromiso que permitiera volver a la
unión nacional de los primeros momentos de la rebelión.

EL PROGRAMA POLÍTICO DE LAS COMUNIDADES

Carlos V no era un monarca popular en 1520. Los comuneros compartían los sentimientos de la mayor parte de sus
compatriotas que no guardaban buen recuerdo de la breve
estancia en España del joven monarca. El cardenal Adriano no
dudó en comunicárselo a su antiguo discípulo: no había sabido
atraerse a sus súbditos y esto favorecía los planes políticos de la
Junta. Los comuneros le endilgaban el haber apartado sistemáticamente a los castellanos de todos los cargos públicos, haber
tratado a sus súbditos como enemigos. Los letrados de la Junta
añadían a esto argumentos jurídicos: Carlos no tenía derecho
alguno para ocupar el trono en vida de su madre. Por tanto,
cuestionaban la proclamación de 1516, auténtico golpe de
Estado que Cisneros consiguió que fuese aceptado. Lo que las
Cortes de 1518 y 1520 habían acabado por admitir era, pues,
rechazado rotundamente por la Junta General o, al menos, por
algunos de sus miembros. Una minoría influyente trataba nada
menos que de quitarle el trono. Esto era el objetivo de Toledo,
en junio de 1520, según el marqués de Villena: «Ir contra el rey
nuestro señor y contra su autoridad y gobierno y quitarle el
nombre de rey durante la vida de la reina nuestra señora.»

Esto llevó a la misma minoría a explotar a fondo el miste-
rio que rodeaba a la reina doña Juana, recluida en Tordesillas.
Aceptaron los rumores según los cuales ella era víctima de una
maquinación. Se decía que estaba loca, pero ¿acaso alguien lo
había demostrado? ¿Se había intentado curarla? Una propagan-

da hábilmente dirigida trató de interesar a la opinión por la suerte de la reina. La solución de todos los problemas radicaba en restituirle sus prerrogativas. Castilla sería entonces gobernada por una reina nacional y no por un extranjero cuya legitimidad suscitaba no pocas dudas. Estos temas fueron objeto de viva discusión en la Junta en septiembre de 1520. Quienes se mostraban convencidos de la incapacidad de la reina hubieron de admitir que se llevase a cabo una tentativa: durante unas semanas se cuidaría intensamente a doña Juana. Todo fue en vano y después de una mejoría inesperada y pasajera la reina volvió a caer de nuevo en la apatía; se negó rotundamente a firmar ningún decreto; incluso sus más ardientes partidarios debieron rendirse a la evidencia; había que abandonar toda esperanza de conseguir su curación y de poder confiarle responsabilidades. La Junta entonces hubo de limitarse a solicitar para ella un tratamiento adecuado con su rango, petición que ya se había expresado en las Cortes de Valladolid y La Coruña. Los comuneros no tuvieron más remedio que aceptar que Carlos continuara siendo rey, pero se mantuvieron inflexibles en un punto: ellos únicamente lo admitían como rey de Castilla, no como emperador. Así llegamos a los dos rasgos principales del ideario político de la Comunidad: rechazo del imperio y reorganización política del binomio rey-reino.

Rechazo del imperio

La elección del rey al imperio, en 1519, da comienzo cronológicamente al movimiento comunero. Es entonces cuando Toledo empieza sus gestiones cerca de las ciudades con voz y voto en Cortes. El tema ocupa un lugar destacado en el manifiesto que elaboran los frailes de Salamanca en febrero de 1520, en vísperas de la reunión de Cortes, y que va a servir de programa a la futura Junta:

No es razón Su Cesárea Majestad gaste las rentas destos reinos en las de otros señoríos que tiene, pues cada cual dellos es bastante para sí, y éste no es obligado a ninguno de los otros, ni sujeto ni conquistado ni defendido de gentes extrañas. [...] Más es su servicio estar en ellos a gobernarlos por su presencia que no ausentarse[51].

El tema corre a lo largo de toda la primera etapa de la rebelión. No deja de apuntarlo el cardenal Adriano en julio de 1520:

Dicen expresamente que las pecunias de Castilla se deben gastar al provecho de Castilla y no de Alemania, Aragón, Nápoles, etc., y que Vuestra Majestad ha de gobernar cada una tierra con el dinero que della recibe[52].

En el mismo mes de junio un dominico, predicando en Valladolid, ataca duramente al César: «Ha comprado con dinero el imperio», replica a lo que había dicho pocas semanas antes, en las Cortes de Santiago, el obispo Mota, por lo visto sin convencer a nadie:

Lo quiso Dios y lo mandó así, porque yerra, a mi ver, quien piensa ni cree que el imperio del mundo se puede alcanzar por consejo, industria ni diligencia humana; sólo Dios es el que lo da y lo puede dar[53].

---

51 Archivo General de Simancas, *Estado*, leg. 16, fol. 416.

52 Archivo General de Simancas, *Patronato Real*, leg. 2, fol. 1.

53 *Cortes de los antiguos reinos de León y Castilla*, t. IV, Madrid, RAH, 1882, p. 290.

Los comuneros tuvieron la intuición de los cambios profundos que significaba la elección del rey de Castilla al imperio.
No se trata de xenofobia ni de voluntad de encerrarse en la
península, volviendo la espalda a Europa, sino de algo mucho
más serio e importante: los comuneros tienen la impresión de
que el César está sacrificando el bien común de Castilla, los
intereses propios y legítimos del reino, a sus intereses personales y dinásticos; ellos recelan que Castilla va a perder mucho con
el imperio; tendrá que sufragar una política exterior distinta y
tal vez opuesta a sus propios intereses nacionales, intuición que
la historia posterior ha ratificado. En la segunda mitad del siglo
XVIII, cuando empieza a revisarse en sentido crítico la historia
nacional y concretamente el episodio comunero, Forner se
expresa así: «Se puede dudar si el reinado de Carlos V fue tan
próspero para sus reinos como favorable a la gloria personal del
príncipe.» La elección satisfacía la ambición personal del rey,
pero en absoluto tenía en cuenta los intereses del reino. La
nueva dinastía parecía dispuesta a sacrificar el reino a sus propias exigencias de prestigio. Enfrentándose a estos proyectos, los
comuneros entendían reivindicar los más altos derechos del
reino. Para ello el reino, representado por las Cortes, limitaría
los poderes del soberano.

Rey y reino

Este rechazo del hecho del imperio lleva a los comuneros a
reivindicar para el reino una participación directa en los asuntos
políticos. Escribe la Junta de Tordesillas al rey de Portugal, al
referirse precisamente a la elección imperial: «La cual elección, el

rey nuestro señor aceptó sin pedir parecer ni consentimiento de estos reinos.» Esta voluntad de intervenir en los debates políticos es la que da la tónica general del movimiento comunero. La reorganización llevada a cabo por los Reyes Católicos tenía un sentido muy claro: la política era cosa de la corona; los pueblos no tenían por qué intervenir en ella. En los municipios se institucionalizaba el sistema de regimientos cerrados confiados a una oligarquía local. A esta oligarquía le toca despachar los asuntos que interesan la vida económica y social del municipio, pero en ningún caso debe entrometerse en cuestiones políticas que podrían ser ocasiones de disputas y enfrentamientos. A nivel nacional se nota la misma voluntad de reservar a la corona y sus ministros la resolución de los problemas políticos; la nobleza y las Cortes quedan apartadas de estos negocios.

La revolución comunera procura terminar con esta situación. En los proyectos elaborados por los comuneros las Cortes constituían la institución más importante del reino. Sus atribuciones limitaban notablemente el poder real. Diversas disposiciones tendían a hacer de ellas un organismo representativo y a prestarle una mayor independencia respecto del soberano.

Se contempló la conveniencia de poner fin a la tradición que reservaba el derecho de acudir a las Cortes a una minoría de ciudades. Un proyecto preveía que, a partir de entonces, todas las diócesis de Castilla enviaran sus procuradores. El programa de la Junta no llegó a recoger esta sugerencia y en él el derecho de acudir a las Cortes seguía siendo un privilegio de ciertas ciudades. Esta fidelidad a la tradición no impedía sin embargo que la composición de las Cortes variara por completo. Cada ciudad pasaría a ser representada por tres procuradores: un representante del clero, un representante de los caballeros y escuderos y un representante de la comunidad, es decir, de los pecheros. Los tres serían elegidos democráticamente. Se trataba de poner fin al monopolio que detentaban los regidores hereditarios. Lo que llama la atención es la exclusión de los Grandes; no está previsto que participen en las Cortes. Se establecerían normas para garantizar la independencia de los procuradores con respecto al soberano. El rey debía conceder entera libertad a las ciudades para que redactaran según sus deseos el mandato que luego confiarían a sus representantes. Éstos recibirían una compensación económica con cargo al presupuesto municipal (salvo el representante del clero, de cuya remuneración se haría cargo el cabildo); les quedaba prohibido recibir gratificaciones y mercedes del rey. Además, los procuradores tenían la obligación de dar cuenta de su mandato a sus electores en un plazo no superior a cuarenta días después de celebrada la sesión. Las Cortes se reunirían de pleno derecho cada tres años sin necesidad de ser convocadas por el soberano; designarían ellas mismas su presidente, fijarían el orden del día de las sesiones y decidirían la duración de la sesión. Las Cortes no desempeñarían sólo una función deliberativa y consultiva, sino que intervendrían también en el gobierno del país al igual que la Junta General, en cuya praxis parece inspirarse esta teoría.

La parte más original del programa político de los comuneros es la que se refiere a las relaciones entre el rey y el reino. Este aspecto está muy bien documentado. Por una parte, tenemos los textos oficiales de la Junta (declaraciones, proyectos de reorganización del reino...) y, por otra parte, el intercambio de cartas entre la Junta y la ciudad de Burgos en octubre de 1520, en el momento en que la ciudad se pasa al bando real, y también las cartas cambiadas entre la Junta y el almirante de Castilla, en noviembre de 1520, cuando éste trata de llegar a un acuerdo con la Junta. Por fin, tenemos las actas de las interminables negociaciones entre los dos bandos en enero-abril de 1521. Esta serie de documentos permite conocer cuál era exactamente la posición comunera.

Los comuneros aspiraban a una revolución política que hubiera arrebatado al rey la realidad del poder para entregarlo a los representantes del reino. Así se desprende claramente del programa elaborado por la Junta de Tordesillas. El preámbulo hace mención del contrato tácito entre el rey y los súbditos: el rey no está por encima de la ley: tiene la obligación de cumplirla lo mismo que los súbditos: «Las leyes de estos vuestros reinos, que por razón natural fueron hechas y ordenadas, que así obligan a los príncipes como a sus súbditos.» El rey y los súbditos han contraído obligaciones recíprocas: el rey tiene que administrar justicia y regir el reino teniendo en cuenta el bien común, es decir, los intereses de la comunidad. En contrapartida, los súbditos están obligados a obedecer sus mandamientos y a pagar los impuestos imprescindibles para el funcionamiento del Estado. El rey que no cumpliera con estas obligaciones, que abusara de su poder, que sacrificara el bien común y el interés general, sería un tirano y no un soberano legítimo; los súbditos tendrían entonces derecho a rebelarse contra él.

Ahora bien, ¿a quién le corresponde apreciar el interés general del reino en caso de conflicto entre el rey y el reino? Para los comuneros las cosas son claras: el reino es el que debe tener la última palabra; el reino decide en última instancia. El reino está por encima del rey; la soberanía pertenece al reino, quien puede delegarla en el príncipe, pero quien puede también resarcirla si considera que el príncipe usa mal de esta delegación. Para los comuneros el reino, es decir las Cortes que lo representan, es el que ha de gobernar. Las Cortes tienen un papel deliberativo y consultivo, pero les toca también intervenir en la gobernación del reino: «Platiquen, provean, entiendan en la gobernación del bien público de estos reinos.»

Éstas son las reivindicaciones oficiales de la Junta. Las discusiones con los adversarios de las Comunidades permiten entender mejor su trascendencia.

Las desavenencias de la Junta y de Burgos son dobles. Se trata primero de la misión encomendada a la Santa Junta. Para los procuradores de Burgos la Junta debe limitarse a presentar una lista de reformas y proponerlas al rey, quien decidirá sólo si conviene llevarlas a la práctica todas o parte de ellas. Por el contrario, la Junta no quiere reformas otorgadas; ella pretende imponer su programa al rey. Por otra parte, según los procuradores de Burgos, la Junta no debe entrometerse en el gobierno del reino, que es tarea propia del rey y de los oficiales de su confianza. Éste es el punto clave, el que no sufre por parte de los comuneros ninguna transacción. Por eso se aparta Burgos de la Junta en septiembre de 1520.

Sus procuradores querían suplicar a su majestad remediase las cosas pasadas y que el gobierno del reino lo tenga quien quisiere su majestad; los comuneros puros lo entienden de otra manera: No se piensa de proceder por ahora por obra de suplicación, sino en hacer de hecho [...]. Lo que queremos pedir por vía de suplicación al rey nuestro señor, la Junta lo querrá hacer de suyo y éste es su principal propósito y fin[54].

Asimismo, es la razón por la que queda sin efecto el nombramiento de dos gobernadores, castellanos éstos, para colaborar con el extranjero cardenal Adriano. Los de la Junta escriben:

---

[54] Carta de los procuradores de Burgos, 21 de septiembre de 1520 (Archivo General de Simancas, *Patronato Real*, leg. 1, fol. 44).

No creemos que su alteza haya proveído cosa de nuevo acerca de la gobernación destos reinos, pues la causa de los daños pasados fue proveerla sin comunicarlo con ellos[55].

El rey ha nombrado los virreyes sin consultar con el reino, es decir, con la Junta; se trata esta vez también de una medida unilateral y, por tanto, inaceptable.

Los mismos argumentos aparecen en las discusiones entre la Junta y el almirante de Castilla, en el mes de noviembre. El almirante está dispuesto a colaborar con la Junta para presentar al rey una serie de reformas, pero con tal de que se respeten las prerrogativas reales. En el mismo sentido el almirante considera que la Junta no tiene ningún derecho a entrometerse en el gobierno, como lo ha hecho cuando ha depuesto de sus cargos a los miembros del Consejo Real para nombrar a otros. El almirante capta perfectamente la significación política del movimiento cuando exclama, dirigiéndose a los procuradores de la Junta:

Recia cosa es que aquellos oficiales que el rey cría, vosotros digáis que son desobedientes en no dejar los oficios por vuestro mandamiento, que es presuponer que el reino manda al rey y no el rey al reino. Cosa es que jamás fue vista.

El almirante se da perfectamente cuenta del alcance de las pretensiones de la Junta:

Estos quieren ser reyes; ya no hay nombre de rey[56].

---

[55] Santa Cruz, *Crónica del emperador Carlos V*, t. I, Madrid, 1920, p. 329.

[56] Carta del almirante de Castilla a la Junta de Tordesillas (Archivo General de Simancas, *Patronato Real*, leg. 5, fol. 18).

Más claro aún se expresa Diego Ramírez de Villaescusa, presidente de la Chancillería de Valladolid, al salir de una larga e inútil discusión con los rebeldes: «Ellos decían que eran sobre el rey y no el rey sobre ellos.» No cabe ninguna duda: para los comuneros, el reino, representado por la Junta y más tarde por las Cortes, no debe limitarse a controlar las actas del poder real, debe ejercer la realidad del poder. La muy moderna resonancia de aquellas fórmulas y reivindicaciones llama la atención, y, sin embargo, los comuneros se limitaban a apoyarse en las teorías tradicionales y escolásticas de la Edad Media, teorías que los teólogos españoles repetirán hasta la saciedad después de la derrota de las Comunidades, pero que entonces no tendrán ya ningún alcance práctico. Los letrados y los frailes, asesores de la Junta, dan así un contenido moderno y revolucionario a una ideología aparentemente medieval. Los comuneros no se contentaron con recordar la teoría del contrato que ligaba al soberano con sus súbditos. En el pensamiento político transmitido por los teólogos recogieron una idea mucho más revolucionaria que pretendieron implantar en la realidad: el rey y el reino no se hallaban en un plan de igualdad; en caso de conflicto entre ambos, la última palabra correspondía al reino. Dicho de otra forma, «el reino no es del rey sino de la comunidad». Esto implicaba para el reino responsabilidades de tipo político, el derecho y la obligación de velar por los intereses de la nación y defenderlos incluso contra el rey cuando ello fuera necesario. Los comuneros invertían pues la argumentación de sus adversarios: los traidores no eran los que se negaban a obedecer ciegamente al rey, sino quienes se plegaban a todos sus caprichos sin tener en cuenta los intereses del reino y del bien común. Ello implicaba un reparto de responsabilidades entre el rey y el reino.

Éstas son las ideas que defendían los procuradores de la Junta. El eco despertado por tal programa en las ciudades y el campo de Castilla demuestra cuántas esperanzas levantó en el alma del pueblo. Estas esperanzas se condensan en una palabra que encuentra entonces una resonancia extraordinaria: Comunidad. La comunidad es, primero, la forma concreta que toma el nuevo gobierno municipal que sustituye al regimiento; es representación del común, de la masa, y no sólo de una pequeña minoría rectora, pero con especial referencia a los pobres, a los desamparados, a la masa del pueblo; comunero se opone así a caballero en el vocabulario de la época. Pero la comunidad es también y sobre todo algo más inconcreto, informulado, pero no por eso menos alentador: el anhelo de sentirse unido con los demás, de participar en los debates públicos, en la vida pública, de no verse excluido ni arrinconado, despreciado o maltratado. Se crea así un ambiente mesiánico que recoge bien la crónica de Sandoval:

> Esperaban que sería esta república una de las más dichosas y bien gobernadas del mundo. Concibieron las gentes unas esperanzas gloriosas de que habían de gozar los siglos floridos de más estima que el oro[57].

Partiendo de teorías políticas tradicionales, desarrolladas ampliamente en los tratados escolásticos pero hasta entonces sin aplicación práctica, los comuneros elaboraron, pues, un pensamiento político coherente que hacía del reino y de su representación en Cortes el depositario de la soberanía. Esto es lo que viene gestándose desde que Toledo empezó en 1519 sus gestiones para una reunión extraordinaria de las Cortes. En febrero de

---

[57] Sandoval, *op. cit.*, t. I, p. 294.

1520 los frailes de Salamanca acabaron de dar forma a la doctrina política que había de inspirar a los comuneros. Así encuentra su desenlace en el terreno de la teoría política la crisis iniciada en 1504. El reino no podía ni debía someterse ciegamente a un soberano ausente o débil o en el caso de Carlos V, extranjero; el reino debía velar por el bien común, por sus propios intereses que podían no coincidir con los intereses del monarca o de la dinastía. El deseo de los comuneros era una monarquía templada, una monarquía constitucional. El soberano vería sus poderes estrictamente controlados y limitados por los representantes del reino. Sentada esta premisa, ¿qué importancia pueden tener las lagunas que presenta el programa de Tordesillas, la conservación formal de algunos principios tradicionales, como el que hacía del derecho de estar representado en Cortes un privilegio reservado únicamente a dieciocho ciudades, la timidez o el anacronismo de algunas reivindicaciones, especialmente en materia fiscal? Lo importante es el carácter absolutamente innovador de este programa en el plano de la teoría política. Por primera vez en Europa el concepto de nación se liberaba de su esterilidad tradicional y aparecía como un arma de lucha contra la monarquía y la aristocracia. En este sentido, las Comunidades de Castilla constituyen, en palabras de Maravall, la primera revolución de los tiempos modernos. Algunos teólogos españoles del siglo XVI continuaron desarrollando las ideas que habían servido de punto de partida a los comuneros, pero el contexto político creado por la derrota de Villalar les restó toda actualidad y eficacia. En la misma época otros pensadores comenzaron a elaborar doctrinas que, insistiendo en los deberes y responsabilidades del soberano, trataban de justificar y ya no de combatir la práctica política del rey, intentando adecuar los hechos con el derecho. El fracaso de las

Comunidades contribuyó mucho a acelerar este proceso en España.

La revolución comunera procuraba instaurar en Castilla un régimen representativo, un gobierno de clases medias, un gobierno burgués, en un país en el que la burguesía era relativamente débil y además se encontraba profundamente dividida. El destino de la revolución comunera se zanjó en octubre de 1520, cuando Burgos se apartó de la Junta: la burguesía comercial, la de los grandes mercaderes, la única que existía en Castilla, desconfió desde el principio de aquella revolución burguesa; la tentativa de la Junta le pareció una aventura sin perspectivas. Estoy de acuerdo con Maravall: las Comunidades de Castilla preparaban una revolución moderna, tal vez la primera de Europa. Pero yo matizaría: fue una revolución prematura, porque pretendía entregar el poder político a una burguesía todavía en ciernes o que allí donde tenía pujanza, como en Burgos, prefirió la alianza con la aristocracia y la tutela de la monarquía.

DEFENSA Y ACRECENTAMIENTO DEL PATRIMONIO REAL

La motivación esencial de los comuneros era defender el patrimonio real, incluso contra el mismo soberano si fuera necesario. El monarca no podría disponer a su antojo de los bienes de la corona que no le pertenecieran como patrimonio privado. Había que reducir —e incluso si era posible saldar completamente— la deuda pública, retirando los juros puestos en venta desde 1516, anular las hidalguías y, en general, todas las mercedes concedidas a particulares desde la misma fecha. Asimismo, había que oponerse a la dilapidación del patrimonio real. Los comuneros en este sentido no ocultaron sus intenciones; estaban dispuestos a obligar a los señores a devolver cuantos territorios habían ocupado, amparándose en la complacencia o en la debilidad de los reyes y, de ser posible, ir más lejos: que ningún realengo fuese a jurisdicción de señorío. No es difícil comprender en estas condiciones por qué la nobleza se opuso con tanta energía a los rebeldes: era su misma existencia la que se estaba poniendo en juego. Los Grandes lo comprendieron perfectamente. Al tomar partido por el rey perseguían un doble objetivo: defender sus dominios amenazados y luego, en caso de victoria, engrandecerlos con nuevas concesiones como pago a su colaboración. Esto es lo que el almirante expondría a Carlos V en 1522: «Si todos fuésemos iguales, no gratificando, Castilla sería hoy señoría y os quitara el reino la comunidad.» Los comuneros estaban contra una nobleza poderosa que sacaba partido de la debilidad del rey para arrancarle sin cesar nuevas concesiones. No se equivocaban cuando afirmaban que, en definitiva, no pretendían otra cosa que reforzar el poder del rey; reforzarlo, sí, pero protegiéndolo incluso de sus propios errores, ejerciendo un control estricto en todo momento. Probablemente la victoria de las Comunidades habría desembocado en la creación de un estado fuerte, pero en el que el rey no hubiera sido más que una especie de monarca constitucional.

Los artículos del programa de Tordesillas que se ocupaban de los problemas coloniales se inspiraban en la misma preocupación: defender los derechos de la corona contra los intereses privados. Los comuneros se opusieron a la encomienda, menos por motivos humanitarios que en virtud de consideraciones económicas. En efecto, la encomienda provocaba una pérdida de rendimiento en el trabajo y, por consiguiente, una disminución de los ingresos de la corona.

La crisis que favoreció el estallido de las Comunidades no fue sólo política; el equilibrio que en el estado de los Reyes Católicos existía entre categorías sociales e intereses económicos contrapuestos se quebró a la muerte de Isabel, en 1504, y las contradicciones hasta entonces mitigadas u ocultas salieron a la luz, y el advenimiento de una dinastía extranjera en 1516 no hizo más que acentuarlas, y poner en evidencia la dependencia de Castilla con respecto al extranjero. Los comuneros no se olvidaron de este aspecto. Los documentos de carácter económico que nos han dejado están inspirados por hombres inquietos ante el monopolio de Burgos y el incremento de la competencia extranjera. Empiezan sentando el siguiente postulado: la exportación de la lana produce al país más inconvenientes que beneficios. Si se prohíbe la exportación de materia prima, continúan los comuneros, ésta deberá ser transformada en el país, elaborándose en España los tejidos, tapices, etc., que hasta entonces se importaban del extranjero. Bastaría con atraer a especialistas extranjeros para que formaran técnicamente a los obreros castellanos. El desarrollo de la industria textil permitiría la creación de gran número de nuevos puestos de trabajo para el lavado, limpieza, cardado, peinado, hilado, tinte y tejido de la lana; a la población activa podrían así incorporarse incluso personas muy jóvenes y sin cualificar. La distribución de nuevos salarios mejoraría el nivel de vida de la población; la miseria desaparecería.

Si los castellanos iban a salir beneficiados de la industrialización, lo mismo podría decirse de las finanzas públicas. Los comuneros evaluaban en 35.000 el total de fardos de lana exportados cada año; a un precio de 5.000 maravedíes el fardo, la suma total ascendía a 165 millones. Elaborando *in situ* la materia prima podrían fabricarse alrededor de 100.000 piezas de paño (tres por cada fardo); a 5.000 maravedíes la pieza se llegaría a la suma de 500 millones. Tales serían los beneficios de la industrialización, conseguida por la simple prohibición de las exportaciones de lana. Una sustracción sencilla permite evaluar las ganancias de Castilla derivadas de la transformación *in situ* de la lana en lugar de exportarla en bruto al extranjero: 335 millones de maravedíes a distribuir en salarios, beneficios comerciales, etc. Se pondría fin a la necesidad de importar tejidos; el reino se enriquecería al igual que sus habitantes y el rey, por su parte, vería crecer su poder. Para obtener tal resultado, no era necesario prohibir de manera definitiva las exportaciones, sino simplemente aplazarlas durante un año. En este plazo, calculado a partir del esquileo de las ovejas, la lana quedaría a disposición exclusiva de los industriales y artesanos nacionales; transcurrido el plazo, la lana que no hubiera encontrado comprador podría ser vendida libremente a los exportadores.

Este sugestivo proyecto recuerda el que ya en 1516 había sido propuesto al cardenal Cisneros; al igual que aquél se basa en una teoría cifrada del subdesarrollo que anuncia las doctrinas mercantilistas. El programa de Tordesillas, sin ir tan lejos, se inspira en consideraciones análogas. Uno de los puntos que impugnaba era que el contingente de lana reservado para la industria nacional aumentara de un tercio hasta la mitad, reivindicación que recogía tanto los intereses de los exportadores como los de los fabricantes. La Junta preconizaba también medidas contra los que trataran de transgredir la ley. Para proteger los textiles castellanos de la competencia extranjera, el programa de Tordesillas exigía que los productos importados tuvieran las mismas cualidades que se exigían a los artículos nacionales, antigua reivindicación que había inquietado algunos años antes a los comerciantes burgaleses, importadores a la vez que exportadores.

Estos textos comuneros estaban inspirados por los industriales y artesanos de Segovia, Palencia, Cuenca..., es decir, por los medios económicos que más tenían que perder ante la competencia extranjera y la situación de cuasimonopolio del Consulado de Burgos. En cambio, amenazaban directamente a cuantos participaban de los enormes beneficios del mercado de la lana: ganaderos, aristócratas propietarios de rebaños y de pastos, mercaderes de Burgos y del extranjero, así como industriales flamencos que compraban lana castellana para transformarla y revenderla luego en forma de productos manufacturados. Así se confirman las indicaciones que ya podían deducirse de la localización y de la sociología del movimiento comunero: la revuelta expresaba las inquietudes de las ciudades del interior, industriales y artesanales, las preocupaciones de las capas sociales medias con una organización más imperfecta y menos poderosa que la rica burguesía de las regiones periféricas. En la coalición que desde el otoño de 1520 se formó contra los comuneros entraron todos los que tenían un interés común en la exportación de la lana, es decir, la aristocracia terrateniente, la burguesía burgalesa, el poder real, solidario de aquellas por dos motivos: los derechos de aduana que percibía sobre las exportaciones y la protección que requerían los súbditos flamencos de Carlos V.

VIII.   EL SIGNIFICADO HISTÓRICO
DE LAS COMUNIDADES

Los acontecimientos de 1520-1521 han dado lugar a muchas interpretaciones diferentes, contradictorias. No estará de menos resumirlas rápidamente:

PRIMERAS APROXIMACIONES AL TEMA
DURANTE LOS SIGLOS XVI Y XVII

Tenemos primero los relatos de los cronistas y contemporáneos: Antonio de Guevara (*Epístolas familiares*), Pero Mexía, Alonso de Santa Cruz, Juan Maldonado, todos ellos autores del siglo XVI; Diego de Colmenares, cronista de la ciudad de Segovia, y Prudencio de Sandoval, en el siglo XVII. Todos estos autores enfocan los acontecimientos de 1520-1521 de un modo distinto; entre ellos se notan matices, a veces importantes, pero en sustancia llegan a las mismas conclusiones, al mismo juicio de conjunto: todos condenan la revuelta en la que ven una rebelión inadmisible contra un soberano legítimo, un levantamiento de la plebe contra las autoridades y el orden social; un accidente lamentable, pero que no parece haber modificado profundamente el destino de España. Todos coinciden en ello. Alguna otra vez tal o cual gran autor del Siglo de Oro hace una alusión a las Comunidades; siempre es para tratar del caso de manera despreciativa. El mismo vocablo de comunidades se ha convertido en una especie de sustantivo que designa una rebelión popular de cualquier tipo que sea: *popularem factionem*, escribe Maldonado en 1535. Un escritor político como Fadrique Furió Ceriol a mediados del siglo XVI, al trazar la semblanza ideal del consejero del príncipe, usa la palabra en aquel sentido: el consejero del príncipe debe conocer perfectamente la historia de su nación y de las naciones vecinas: en los dos mil años: «¿Cuántas comunidades se han levantado en España, Francia, Roma?» En el *Quijote* Cervantes llama la atención de Sancho Panza, que tiene gran propensión a abusar de los refranes; tendrá que prescindir de aquella costumbre cuando sea gobernador de la isla Barataria, porque si no sus vasallos bien podrían rebelarse: «Te han de quitar el gobierno tus vasallos o ha de haber entre ellos comunidades» (II. 43). Quevedo usa también las palabras *comunero* y *comunidades* como sinónimos de rebelde, sedición popular, sin referirse concretamente a los acontecimientos de 1520-1521: Lucifer fue el primer comunero. Los dos grandes diccionarios de la lengua castellana del Siglo de Oro, el de Covarrubias a principios del siglo XVII y el de la Real Academia (el *Diccionario de Autoridades*) en el siglo XVIII, señalan aquella significación: «Comunidades... Levantamiento y sublevaciones de los pueblos contra su soberano.»

Parece pues que no se atribuye a los acontecimientos de 1520-1521 alguna trascendencia en el destino histórico de España: una revuelta como otras tantas, en España y fuera de España. Cadalso, en el siglo XVIII, fue uno de los primeros en tener sus dudas sobre el reinado de los Austrias: pensaba que nunca fue tan potente España como en la época de los Reyes Católicos; Carlos V, a su modo de ver, sumió a la nación en una serie de aventuras, pero Cadalso no le da una importancia particular a las Comunidades: es un acontecimiento como tantos otros, quizá menos importante que otros.

INTERPRETACIÓN ROMÁNTICA Y LIBERAL DE LOS COMUNEROS

Todo cambia en los últimos años del siglo XVIII y a principios del XIX. Presenciamos entonces una verdadera rehabilitación de los comuneros: hasta la fecha desacreditados u olvidados, se les convierte de repente en mártires de la libertad, en símbolos de la lucha contra el despotismo, en precursores de los liberales. En pocos años, de 1797 a 1821, el panorama cambia por completo. En 1797 compone Quintana una oda a Juan de Padilla; la Inquisición trata de prohibir su publicación; sólo saldrá a la imprenta en 1813.

En 1821, con motivo del III centenario de la batalla de Villalar se exhuman los comuneros, tanto en el sentido exacto de la palabra como en su sentido figurado; los liberales en el poder organizan en Villalar ceremonias en honor de Padilla, Bravo y Maldonado; una sociedad secreta, fruto de una escisión en la masonería española, se crea con el nombre de Confederación de los comuneros españoles. En menos de 25 años los comuneros se han vuelto célebres y su rebeldía se considera como un momento clave, una fecha decisiva en el destino de España. De esta forma se inicia la interpretación liberal y romántica de las Comunidades, interpretación que va a ser del gusto de los españoles cultos, incluso de los historiadores con contadas excepciones, y va a imponerse durante casi un siglo.

No está de más recordar en qué circunstancias históricas se forjó aquella interpretación. Entre 1797 y 1821, como se ha afirmado, es decir, en el momento en que España se divide en torno a la Revolución francesa, la invasión napoleónica, el absolutismo y el Antiguo Régimen. Posiblemente inspirados por el historiador escocés William Robertson, los hombres que imponen dicha interpretación tampoco son indiferentes: Quintana fue secretario de la Junta Central durante la guerra de la Independencia; ha sido uno de los portavoces del liberalismo español, perseguido por Fernando VII, otra vez en la cumbre del poder en 1820 después del pronunciamiento de Riego, de nuevo echado de su patria en 1823 después de la expedición de los Cien Mil hijos de San Luis. Martínez de la Rosa, que también contribuyó a celebrar a los comuneros, fue asimismo un actor político destacado en 1820-1823 y posteriormente en 1834; él dio a España una constitución, el Estatuto Real. Los que proponen una interpretación nueva de los acontecimientos de 1520-1521 no son, pues, historiadores, sino políticos y adeptos del liberalismo; en su interpretación entra mucha pasión de partido; hablan de los comuneros, pero están pensando en los liberales; denuncian a Carlos V y sus ministros flamencos con la mirada puesta en Carlos IV, José Bonaparte y los afrancesados. Por tanto, estamos frente a una interpretación parcial, y, sin embargo, esta interpretación quedará vigente durante muchos años. Toda ella gira en torno a dos temas: la denuncia del despotismo y el nacionalismo.

1.   *El despotismo*. La oda de Quintana «A Juan de Padilla», como las demás obras del volumen *Poesías patrióticas* impresas en 1813, es una violenta carga contra el despotismo y los tira-

nos; Padilla es el que ha tenido el valor de enfrentarse con el monstruo:

> *Tú el único ya fuiste*
> *que osó arrostrar con generoso pecho*
> *al huracán deshecho*
> *del despotismo en nuestra playa triste.*

En el poema Padilla se dirige a sus compatriotas para echarles en cara su debilidad: ¿Cómo es posible que vivan así en medio de la opresión? Que se inspiren en su ejemplo:

> *Yo di a la tierra el admirable ejemplo*
> *de la virtud con la opresión luchando.*

Padilla y sus compañeros murieron por la libertad: amantes de la libertad, adalides de la libertad, son expresiones que se encuentran con frecuencia siempre que se evoca a los comuneros en el siglo XIX. La lucha de los comuneros es la lucha del pueblo contra la monarquía, de la libertad contra el absolutismo.

2. *El nacionalismo.* La lucha de los comuneros es también una lucha contra la dominación extranjera, ya que los hombres que en 1520 intentan acabar con las libertades de Castilla son extranjeros: Carlos V, nacido y criado fuera de España, sus ministros flamencos, responsables del saqueo de la nación. Liberales, los comuneros son además patriotas que protestan contra la servidumbre que amenaza a su patria. Así quedan definidos y presentados los Austrias, condenados: se trata de una dinastía extranjera que llevó a España al abismo, la sumió en el fanatismo y el oscurantismo entregándola a los curas, a los frai-

les, a la Inquisición. Esto es lo que viene bien explicado, ya desde el título, en el libro de Ferrer del Río, publicado en 1850, por otra parte muy comedido y documentado: *Decadencia de España. Primera parte. Historia del levantamiento de las Comunidades de Castilla.*

Todos los elementos de la ideología liberal española del siglo XIX están reunidos: la libertad, el patriotismo, el papel nefasto de los Austrias, de la Inquisición y del absolutismo.

Se comprende el entusiasmo de los liberales al encontrarse con los comuneros: sus adversarios les achacan la imitación de ideas extranjeras, el deseo de introducir en España instituciones y costumbres políticas venidas de fuera, pero los liberales pueden aducir ahora la autoridad y el prestigio de modelos nacionales. Los liberales proyectan en el pasado sus preocupaciones actuales; creen ver en los comuneros unos precursores; tienen la impresión de entroncar con una gran tradición y unas teorías políticas ahogadas por tres siglos de despotismo. El mismo movimiento sugiere a Martínez Marina su *Teoría de las Cortes* de 1813: se trata de demostrar que España posee su doctrina del poder representativo; las Cortes vienen a ser la primera manifestación de un régimen parlamentario; España, desde este punto de vista, no tiene nada que envidiar a Francia y a Inglaterra: es inútil ir a buscar modelos en el extranjero; basta con estudiar con atención la historia nacional.

En 1836, con motivo de una discusión en el parlamento, Martínez de la Rosa insiste para que los representantes de la nación, que van a formar parte de las dos asambleas previstas por el Estatuto Real, se intitulen *próceres* y *procuradores* en vez de pares y diputados, voces que suenan demasiado a galicismos. No se trata sólo de una disputa sobre el léxico: «El nombre de procurador del reino es más español, más castizo; nos recuerda que no hemos ido a mendigar estas instituciones a las naciones extranjeras.»

Ésta es en síntesis la interpretación de los liberales y de los románticos: ve en las Comunidades una rebelión popular contra el absolutismo, una reacción nacionalista frente a una dinastía extranjera. Elaborada por hombres que no eran historiadores, esta interpretación no desconoce los hechos: Quintana y Martínez de la Rosa han leído las crónicas del siglo XVI; por otra parte, en 1850, Ferrer del Río vuelve sobre el tema en su conjunto y publica el primer libro coherente sobre el episodio; se apoya en los cronistas y sobre una documentación inédita conservada en los archivos y que nunca hasta entonces se había utilizado. Cuando los historiadores empiezan a publicar, a partir de la segunda mitad del siglo XIX, recopilaciones de documentos (*Colección de documentos inéditos sobre la historia de España* y, sobre todo, la recopilación de Manuel Danvila, 1897-1900), a ellos no se les ocurre cambiar sustancialmente la interpretación liberal; se contentan con evitar los anacronismos más groseros, las posiciones demasiado comprometidas, pero fundamentalmente también se atienen a las grandes líneas de la historiografía romántica que parece ser la definitiva. La revisión no la hacen los historiadores sino, una vez más, los escritores comprometidos.

GANIVET: APROXIMACIÓN IDEOLÓGICA

La interpretación romántica, concebida en un ambiente polémico, venía marcada con un sello eminentemente ideológico. Formaba parte integrante del ideario liberal español y su visión militante de la historia, una historia caracterizada por la lucha entre las dos Españas y el forcejeo entre la libertad y el despotismo. Era natural que, en el transcurso del tiempo, sufriera una revisión profunda. La interpretación liberal no se puede separar de las circunstancias históricas en las cuales se había forjado: el fin del Antiguo Régimen y la guerra de la Independencia. Otra crisis nacional va a ser motivo para desecharla. En efecto, es uno de los escritores más representativos de lo que va a llamarse la *generación del 98* quien presenta el primer esbozo de otra interpretación del movimiento comunero, interpretación totalmente opuesta a la interpretación liberal: Ángel Ganivet, quien, al igual que otros intelectuales de su época, está preocupado por la decadencia de su patria, se indigna al verla sumirse lentamente en la apatía. Lo mismo que Unamuno, autor de los ensayos reunidos más tarde con el título de *En torno al casticismo*, lo mismo que Joaquín Costa, Ángel Ganivet bucea en el pasado de España para tratar de descubrir el secreto de su grandeza y originalidad. La fraseología huera de los liberales lo aburre y su libro, *Idearium español*, 1897, el mismo año del desastre de Cuba, viene a ser una revisión de las ideas que se tenían de España. Manuel Azaña, el único que se atreverá a criticar a Ganivet, está en lo cierto cuando opina que las ideas de Ganivet son ante todo una reacción de mal humor contra cierta retórica y cierta política liberal que tratan de ocultar con frases grandilocuentes el vacío del pensamiento.

En realidad, Ganivet se limita simplemente a invertir la interpretación de los liberales:

Los comuneros no eran liberales o libertadores, como muchos quieren hacernos creer; no eran héroes románticos inflamados por ideas nuevas y generosas y vencidos en el combate de Villalar por la superioridad numérica de los imperiales [...]. Eran castellanos rígidos, exclusivistas, que defendían la política tradicional y nacional contra la innovadora y europea de Carlos V[58].

Es preciso situar esta frase dentro de su contexto. Cuando Ganivet escribe esto, Joaquín Costa también está cansado de escuchar a cada momento la alabanza de las glorias nacionales de España; opina que habría que cerrar con doble llave el sepulcro del Cid. A finales del siglo XIX la ideología liberal se está agotando; la generación del 98 quiere remozarla; se trata de hacer otra vez de España una nación moderna, salvando el abismo que se ha formado entre ella y Europa; para llegar a este resultado es condición previa que los españoles dejen de recrearse en la admiración beata de sus glorias pasadas; es preciso que se enfrenten con las realidades de su época. Esta perspectiva permite comprender mejor el texto de Ganivet. De tanto repetir que con los comuneros España también tiene sus mártires de la libertad y de la independencia nacional, se ha olvidado lo esencial: se necesita avanzar en la vía del progreso y de la independencia nacional. De ahí la reacción malhumorada de Ganivet: ¿eran verdaderamente los comuneros precursores de los liberales? ¿Empieza de verdad con Carlos V una época de decadencia?

Con Carlos V España se abre a Europa, inaugura un período de esplendor en el que va a convertirse en la primera potencia del mundo, no sólo desde el punto de vista militar y diplomático, sino también en el terreno de las artes y de la literatura. Si esto es cierto, si Carlos V orienta a España hacia una mayor europeización, entonces los comuneros que se han opuesto a él a principios del reinado no pueden ser sino unos atrasados, nostálgicos de un pasado anticuado.

---

58 Ángel, Ganivet, *Idearium español,* Granada, 1897.

AZAÑA: REVISIÓN A LA INTERPRETACIÓN
DE GANIVET

Las opiniones de Ganivet no fueron discutidas cuando se publicaron. Sólo Manuel Azaña, en los años veinte, las increpó con vehemencia, pero curiosamente la crítica severísima que escribió en 1930 sobre el *Idearium* de Ganivet pasó inadvertida por completo. Azaña, después de analizar textos clave, como los capítulos de la Junta de Tordesillas, consideraba que la interpretación liberal del siglo XIX, a pesar de sus evidentes anacronismos y de su fuerte carga ideológica, no era tan descabellada: en el fondo, los comuneros de 1520 y los liberales de Cádiz buscaban lo mismo: «El pacto, la transacción y el concuerdo entre la Corona y los súbditos, de que resulta un gobierno limitado», opinión que, como veremos, es muy parecida a la que defiende Maravall.

Azaña reconoce de buena gana que la interpretación liberal de los comuneros es anacrónica: ellos no podían ser liberales en el sentido estricto de la palabra. ¿Qué eran entonces? ¿Por qué combatían? Para contestar a estas preguntas, hace falta acudir a los textos y documentos; Ganivet no lo hizo; la interpretación personal que da descansa sobre simples impresiones: «Falta de información, falta de reflexión.» Así no se puede hacer historia. ¿Qué queda, pues, de la tesis de Ganivet?, preguntaba Azaña: «No queda nada.»

Azaña vuelve entonces sobre el tema y propone su propia interpretación de las Comunidades, interpretación que se condensará y comentará en las páginas que siguen, ya que en lo esencial es muy cercana de la que Maravall, Gutiérrez Nieto y yo mismo hemos avanzado.

APORTACIONES MODERNAS DE MARAÑÓN

Las reflexiones de Manuel Azaña pasan inadvertidas por completo. En los años cuarenta es más bien la interpretación de Ganivet la que sigue vigente en sus grandes líneas. Esto también lo explican en parte las circunstancias. España acaba de pasar por una crisis interior terrible. Los vencedores de la guerra civil achacan al liberalismo y a los liberales la culpa de todo lo que ha sucedido y los mismos liberales sienten algún complejo ante la historia tal como se venía enseñando. En este contexto el doctor Marañón vuelve a tratar de las Comunidades y lo hace partiendo de los postulados de Ganivet, y desarrolla una interpretación coherente que pretende apoyarse en documentos. Marañón se propone demostrar que los comuneros eran unos hombres del pasado en todos los sentidos: política, social y espiritualmente.

Desde el punto de vista político, los comuneros son unos reaccionarios, unos hombres de derecha, mientras Carlos V sería un hombre de izquierdas. Para combatir mejor las ilusiones del liberalismo, Marañón no desdeña el cultivo del anacronismo:

En esta guerra, y en contra de lo que hasta hace poco se venía creyendo por los historiadores enturbiados por los tópicos políticos, el espíritu conservador y tradicionalista, la derecha, estaba representada por los comuneros y el espíritu liberal y revisionista, la izquierda, por los que siguieron fieles al emperador [59].

Se ha dicho —prosigue Marañón— que los comuneros defendían las libertades castellanas; pero es que nadie entonces

---

[59] Gregorio Marañón, *Los castillos en las Comunidades de Castilla*, Madrid, 1957.

pensaba desterrarlas. Socialmente los comuneros son unos señores que llevan al pueblo a una lucha que no le importaba:

> Según el tópico corriente, los comuneros eran, en gran parte,
> gente del pueblo que defendía sus libertades contra el rey tiránico;
> pero eran, en realidad, una masa inerte conducida por nobles e hidal-
> gos apegados a una tradición feudal que les daba un evidente poder
> contra el monarca, al mismo tiempo que sobre el pueblo esclavizado[60].

En la sublevación comunera Marañón ve ante todo una
algarada feudal:

> La rebelión de las Comunidades representa el último intento de
> la Castilla feudal, medieval, para mantener sus privilegios, frente al
> poder real absoluto, unificador del país. Los comuneros fueron venci-
> dos y, con ellos, el feudalismo de Castilla[61].

Marañón demuestra, o mejor dicho cree demostrar, su tesis
enumerando los jefes del movimiento comunero, todos nobles
e hidalgos: don Pedro Girón, don Pero Laso de la Vega, el conde
de Salvatierra, el obispo de Zamora, Juan de Padilla, Juan
Bravo, don Pedro Maldonado, etc.; durante algún tiempo, el
marqués de Los Vélez también simpatizó con la Comunidad. La
guerra de las Comunidades, en sustancia, viene a ser la guerra
de los castillos contra el soberano.

Desde el punto de vista de la espiritualidad, los comuneros
representarían una forma de catolicismo caracterizada por su
cerrazón y la intransigencia ante toda innovación. Lo prueba el

---

60 *Ibid.*
61 *Ibid.*

hecho de que los más activos propagandistas de la Comunidad eran frailes. ¿Cómo los liberales del siglo XIX han podido equivocarse tan rotundamente sobre la significación de un movimiento encabezado por los frailes?, pregunta Marañón.

¿En qué se apoyan juicios tan rotundos? Marañón y los autores que le siguen hacen en varias ocasiones referencia a las fuentes documentales, a la *Colección de documentos inéditos para la historia de España* y, sobre todo, a los seis volúmenes de la *Historia crítica y documentada de las Comunidades de Castilla* que Manuel Danvila había publicado a finales del siglo XIX, precisamente en el momento en que Ganivet iniciaba la nueva corriente interpretativa de la rebelión de 1520. A pesar de sus numerosas y evidentes fallas, la compilación de Danvila tenía el inmenso mérito de ofrecer a los estudiosos un material de primera mano que hubiera permitido proceder a un examen científico de la cuestión y a una revisión de las interpretaciones al uso, libre de la carga ideológica que las lastraba desde los años 1810. No fue así. Antes de Maravall, el único lector de la compilación de Danvila debió de ser Manuel Azaña. Se produce entonces algo incomprensible e increíble, pero que está fuera de duda: nadie se tomó la pena, ni siquiera el propio Danvila, de leer los documentos compilados; a lo sumo se echó una ojeada rápida, muy por encima, a algún que otro texto en busca de una confirmación de lo que se venía pensando y todos remitían a Danvila en prueba de afirmaciones perentorias que no tenían nada que ver con la documentación publicada. ¿Cómo explicarse de otra forma la extravagante opinión sostenida por Marañón de que el grito de guerra de los comuneros era el de *Viva la Inquisición*? Es de justicia reconocerlo. Estamos ante un caso inaudito: ¡historiadores serios que se refieren a textos publicados pero que no han leído!

MARAVALL ANTE LAS
INTERPRETACIONES AL USO

La revisión seria de aquellas tesis es más reciente y se la debemos a Maravall. Maravall desconocía las reflexiones de Azaña. En la década de los años cincuenta y sesenta del siglo XX, mientras se interesaba por la figura histórica de Carlos V y el entorno político de su reinado, la idea que prevalecía sobre las Comunidades de Castilla era la que había contribuido a forjar Ganivet, la de un episodio de signo regresivo. Por las mismas fechas un sector de la historiografía europea empezaba a estudiar los movimientos y rebeldías populares de la época moderna. Se trataba de establecer una tipología de aquellos fenómenos, buscando un modelo que podría ser válido para todos los tiempos y todos los países, ambición más bien sociológica que verdaderamente histórica, muy característica de un momento en que el estructuralismo pugnaba por imponerse como ideología dominante. Al parecer, el ensayo de Maravall sobre las Comunidades pretendía integrarse en aquella problemática: caracterizar tipológicamente la guerra castellana de las Comunidades, aportar una contribución al estudio de los movimientos revolucionarios de la Europa moderna. La lectura que hizo entonces Maravall de las crónicas contemporáneas y sobre todo de los documentos recopilados por Danvila lo llevó rápidamente a una revisión radical de las interpretaciones al uso. Esto es lo que viene a ser el libro publicado en 1963. Todo está dicho en el subtítulo: *Las Comunidades de Castilla. Una primera revolución moderna,* subtítulo que resume perfectamente el contenido de lo expuesto a lo largo de cinco capítulos muy densos que pueden leerse con verdadero agrado:

—Las Comunidades como revolución y no como simple rebeldía.

—Las Comunidades como inicio de la modernidad en Castilla.

Las Comunidades como revolución. En el prólogo que redactó como introducción a su compilación, Danvila no dudó en escribir que las Comunidades carecieron de pensamiento político, con lo cual demostraba que no había leído —o que había leído muy deprisa— los documentos que publicaba, ya que, cuando profundizamos en estos documentos, el lector, por muy lego que sea, se encuentra casi en cada página con la expresión de ideas de plena y clara significación política. Los comuneros parten de una situación de crisis y malestar, protestan contra abusos y corrupciones, se quejan de la mala administración del reino, pero sus reivindicaciones no se limitan a un mero catálogo o inventario de reclamaciones. Está claro que no todos los protagonistas tienen desde el principio una doctrina sistemática, explícitamente envuelta en sus cartas y escritos de propaganda, sobre lo que debe ser la organización política de la sociedad. Esta visión se va formando poco a poco, según avanzan los acontecimientos, pero los elementos básicos se dan en una época muy temprana, quizá desde la elección del rey de Castilla como emperador, a mediados de 1519, y la ideología se precisa y se vuelve consciente rápidamente en sus rasgos esenciales.

Las protestas tienen al principio un carácter marcadamente antifiscal. Las ciudades de Castilla se quejan de la fuerte subida de las alcabalas y exigen que se vuelva al régimen de encabezamiento, más suave para los contribuyentes. Continúan en las Cortes de Santiago-La Coruña (1520) cuando Carlos V pretende que se le conceda un nuevo servicio antes de que esté terminado de recaudar el anterior, votado en las Cortes de Valladolid (1518). Todo ello puede inducir a un juicio equivocado sobre el sentido de los motines que estallan por todas partes apenas terminadas las Cortes. Estamos ante una protesta de tipo fiscal, pero lo que no se había destacado antes y que Maravall pone de relieve con citas convincentes es que esta guerra fiscal se ordena en torno a ideas directrices y desemboca en una reflexión de tipo político sobre el Estado y los fines que persigue: ¿qué tipo de política es la que tienen que sufragar los súbditos con los impuestos que pagan? ¿Por qué y para qué se piden nuevos servicios y se suben las alcabalas? Al formular estas preguntas, los jefes comuneros cuestionan nada menos que la concepción del Estado. Maravall no podía menos que contrastar las dos actitudes en pugna: por una parte, un soberano que se hallaba inmerso en una concepción patrimonialista del Estado —considerado algo así como una propiedad privada del monarca, como herencia familiar—, y por otra parte una concepción del Estado de base protonacional, tal como habían empezado a delinearla los Reyes Católicos y con la cual entroncan los comuneros. Al fin y al cabo, observa Maravall,

[...] la batalla por el presupuesto es una de las fases más activas en la lucha por los derechos democráticos [...]. Un predominante, clarísimo sentido político tiene la pugna en materia fiscal que con tanto encono afrontan las Comunidades[62].

Este pensamiento político es el que defienden los comuneros, primero de una manera algo confusa, pero muy pronto con plena conciencia. Para imponerlo, surge la idea de una junta

---

[62] A. Maravall, *Las Comunidades de Castilla*, cit.

general del reino, una reunión de las Cortes, si se quiere, pero sin convocatoria previa del soberano, más aún: contra la voluntad del monarca y de sus representantes. Maravall señala con mucho acierto que el carácter revolucionario del movimiento comunero aparece en el mismo momento en que se reúne la Junta en Tordesillas. Ya no se trata de protestar contra éste u otro abuso, sino de algo más serio: sentar las bases del Estado para evitar que se produzcan nuevos conflictos de este tipo en el futuro.

Las Comunidades como inicio de la modernidad. Después de dejar sentado que la guerra de las Comunidades fue mucho más que una serie de motines y disturbios, y que fue inspirada por un pensamiento político coherente que le confiere el carácter de un auténtico movimiento revolucionario, pasa Maravall a enjuiciar lo que significó este levantamiento en la historia de España. El estudio detenido de los llamados *Capítulos* de Tordesillas y de la actitud de la Junta comunera lo lleva a conclusiones fundamentales.

Del intercambio de cartas entre las ciudades de Castilla antes y después de la reunión de la Junta comunera, primero en Ávila, luego en Tordesillas y finalmente en Valladolid, así como de los debates en la misma Junta se desprende una conclusión: la Junta se considera desde un principio como el organismo representativo del reino; pretende hablar en nombre del todo reino, y no sólo de las ciudades que han enviado sus procuradores. No es necesario que todas las ciudades estén físicamente representadas; basta con la mayoría de ellas. Un grupo minoritario no puede ser obstáculo a la voluntad general del reino. Para Maravall, no cabe duda de que en 1520-1521 Castilla se está adelantando a una teoría que en el resto de Europa tardaría aún siglos en cuajar: el principio de representación política. Se trata de un aspecto clave de la revolución comunera: «La lucha por la representación es siempre una lucha por el poder político.» Los teóricos del absolutismo no admitían más representación política que la del rey, cabeza del reino. Para el absolutismo, en la etapa del Estado estamental, el esquema de la organización constitucional tiene dos partes: de un lado, se encuentra una multiplicidad de cuerpos, colegios, estamentos, países; por otra parte, el soberano, en quien únicamente se halla representada la unidad del Estado.

Según la tesis de la Junta, las ciudades y los súbditos son miembros del reino, cuyo cuerpo existe sustantivamente en su unidad. Con la actuación de la Junta comunera se viene abajo esta teoría, base del absolutismo.

Claro está que todavía estamos lejos de la doctrina de la soberanía una e indivisible; pero con los comuneros se llega implícitamente a concebir el pueblo como unidad [...] y a considerarlo, en consecuencia, capaz de ser sujeto del poder. Al pretender la Junta comunera presentarse como representante de la unidad del pueblo, no vamos a creer que lo hace con plena conciencia de las derivaciones que ello iba a tener en la teoría de la soberanía ulteriormente, pero sí hemos de reconocer que con tal pretensión coincide la de asumir, en nombre de la comunidad y en representación única y unitaria suya, el derecho a ejercer el poder político [63].

Esta pretensión implícita de asumir la representación del reino dota de sentido a los llamados *Capítulos* de la Junta. Se trata en realidad de un esbozo de constitución que tiende a establecer un equilibrio entre los poderes del soberano y las prerrogativas de

---

[63] *Ibid.*

la representación del reino. Pero lo que hay que notar es que, en la articulación de este equilibrio, el papel fundamental queda reservado a la Junta, o sea al esbozo de representación nacional. En virtud del derecho que pretende asumir para ejercer el poder político, la Junta dicta sus condiciones al rey que se ve en la alternativa de acatar estas exigencias, renunciando así de hecho a la soberanía absoluta, o rechazarlas para retener en sí dicha soberanía y enfrentarse entonces con la Junta en una auténtica guerra revolucionaria. El conflicto comunero alcanza su verdadera dimensión: una lucha por el poder. Bien lo entendió el almirante de Castilla, don Fadrique Enríquez de Cabrera, quien, antes de aceptar el cargo de virrey que le había ofrecido Carlos V, intentó llegar a un acuerdo con la Junta y acabó por convencerse de que tal acuerdo era imposible, no porque los comuneros pidieran cosas exorbitantes —el almirante reconocía que las peticiones de la Junta eran justas y razonables—, sino por la forma del pedir. El almirante quería proceder por vía de suplicación: suplicar al rey que se dignara a aprobar las justas reivindicaciones de sus súbditos, con lo cual quedaba a salvo su prerrogativa; los comuneros procedían como si ellos fuesen depositarios de la soberanía y pretendían obligar a Carlos V a aceptar las disposiciones previstas en los *Capítulos*. Tal actitud, comentaba el almirante, era presuponer que el reino estaba por encima del rey, y no lo contrario. El almirante estaba en lo cierto: para los comuneros, libertad otorgada no era libertad; la libertad política tenía que ser declarada y mantenida por el mismo reino.

Todo ello permite a Maravall llegar a unas conclusiones que constituyen su aportación original a la interpretación de la guerra de las Comunidades: el carácter representativo que la Junta pretende asumir, como Junta General del Reino, es una versión totalmente nueva de la doctrina tradicional de las

Cortes, doctrina que transforma revolucionariamente en tres puntos importantes: en cuanto a su alcance, puesto que comprende a todo el reino en unidad de cuerpo; en cuanto a su exclusividad, porque sólo a ella, como nacida de los poderes de las ciudades, en los que se actualiza y concreta esa unidad del reino, corresponde representar a éste; en cuanto a la potestad que esa representación le confiera, ya que la constituye en única instancia legítima de gobierno, en las circunstancias excepcionales de una reinstauración del orden político quebrantado.

En esto consiste la modernidad de la revolución comunera, modernidad que hasta Maravall había pasado desapercibida, porque muchos de los historiadores que se habían interesado en el tema se habían fijado en el vocabulario, en el ropaje exterior, en los aspectos tradicionales del levantamiento. Desde luego, Maravall no desconoce la herencia medieval con la que conectan las Comunidades. La ruptura con el pasado no fue ni podía ser total, absoluta, rotunda. Lo importante es contraponer los varios elementos constitutivos del pensamiento comunero y, al hacer el balance, apreciar qué tendencia es la que predomina, la que está vuelta hacia lo medieval o la que anuncia tiempos nuevos. Para Maravall no cabe duda de que la rebelión comunera se aproxima mucho más a los movimientos acontecidos en las sociedades modernas, con su régimen de opinión, que no a las revueltas gremiales de la baja Edad Media.

La revolución de las Comunidades no fue fruto de una exaltación nacionalista ni de una oleada de xenofobia, producto del advenimiento de una dinastía extranjera. Sus raíces profundas hay que buscarlas en la crisis que se inauguró en Castilla a la muerte de Isabel la Católica. En 1504 quedó roto el equilibrio que asociaba el Estado de los Reyes Católicos a intereses económicos y capas sociales antagónicas. La crisis dinástica impidió el mantenimiento de un poder real fuerte; una alta nobleza económica y socialmente muy poderosa intentó recuperar sus prerrogativas políticas; por su parte, las clases medias se hallaban divididas: unas tratando de mantener las posiciones alcanzadas, mientras otras luchaban contra el cuasimonopolio del que gozaban las primeras. A esta oposición social se añadió una delimitación geográfica, prefigurándose así el futuro desarrollo de las Comunidades: el centro castellano se consideraba perjudicado con respecto a las regiones periféricas. El advenimiento de un soberano extranjero, la elección imperial y el anuncio de una política exterior, que parecía apartarse por completo de las orientaciones tradicionales, hicieron temer a los letrados y a las capas sociales medias que los intereses de Castilla iban a ser sacrificados. A una llamada de Toledo fueron las ciudades del interior las que reaccionaron en primer lugar con la máxima energía.

Después de algunos meses de titubeo, la revolución adquirió su fisonomía definitiva:

—Geográficamente, oponía el centro a la periferia.

—Socialmente, agrupó en torno a ella a la burguesía industrial, en donde ésta existía (Segovia), a los artesanos, tenderos, obreros y letrados, capaces de captar el malestar social existente y de canalizarlo. Al mismo tiempo, la revolución vio cómo se levantaba contra ella la burguesía mercantil y la nobleza, dos categorías sociales cuyos intereses eran complementarios, asociadas a las ganancias del comercio de la lana; una fracción del campesinado aprovechó la coyuntura para tratar de liberarse de las servidumbres del régimen señorial.

—Políticamente, en fin, las Comunidades amenazaron los privilegios adquiridos por el patriciado urbano en la dirección

de los municipios y elaboraron y pusieron en práctica una constitución que limitaba estrechamente el poder real.

Maravall ha mostrado perfectamente el sentido de esta
revolución política. Ante todo trataba de organizar un gobierno
representativo, el gobierno de las clases medias, el gobierno de
la burguesía, y esto en un país en el que la burguesía carecía de
fuerza y estaba profundamente dividida. Esto explica las contradicciones y el fracaso del movimiento. La suerte de la revolución
se ventiló en el otoño de 1520, cuando los letrados de la Junta
y los fabricantes segovianos perdieron el apoyo de Burgos: la
burguesía mercantil, la única burguesía auténticamente fuerte
en Castilla, no creyó en la victoria; la tentativa de la Junta le
pareció una aventura sin auténticas posibilidades de éxito. Por
ello, prefirió la alianza con la corona y con la alta nobleza,
garantía de seguridad.

El fracaso de esta tentativa incrementó aún más la debilidad
de esa burguesía y comprometió sus posibilidades a largo plazo.
Los fabricantes del interior, afectados por la represión y por sus
repercusiones financieras, tendrán aún más dificultades para
luchar contra el monopolio burgalés y contra la competencia
extranjera. Castilla tardó más de veinte años en pagar las reparaciones que se le exigieron, y ¿qué economía podía resistir esto?
La derrota de Villalar, al desalentar para un largo plazo una oposición verdaderamente seria, consagró el triunfo de la monarquía; la aristocracia se refugió como antes en sus dominios y se
dedicó a la defensa de sus intereses económicos: la marea señorial subirá durante todo el siglo XVI e incluso por más tiempo; la
burguesía, dividida y vencida, continuó su traición invirtiendo
su dinero en tierras; sus hijos abandonaron los negocios para
entrar en las universidades, en los cargos públicos, en las órde-

nes, cuando no eran tentados por la aventura colonial o militar —*Iglesia o Mar o Casa Real*—; el ideal de la renta se convirtió en la principal preocupación de una sociedad, junto al ansia de consideración social —afán de hidalguía— y la obsesión de la limpieza de sangre, valores que ponen de manifiesto el desconcierto de una sociedad cada vez más apartada de la realidad.

Sin duda, la tradición liberal no erraba al situar la fecha de 1521 como el comienzo de la decadencia. Lo que desapareció en Villalar no fueron las *libertades* castellanas, es decir, franquicias anacrónicas, sino quizá la libertad política y la posibilidad de imaginar otro destino distinto al de la España imperial con sus grandezas y sus miserias, sus hidalgos y sus pícaros. Lo que durante el reinado de los Reyes Católicos y el gobierno de Cisneros se había preparado, una nación independiente y moderna, lo abortó Carlos V.

Ésta era en 1970 y ésta sigue siendo en lo esencial mi interpretación de las Comunidades de Castilla, interpretación semejante en sus grandes líneas a la que había dado el profesor Maravall en 1963 y a la que iba a defender poco después Juan Ignacio Gutiérrez Nieto. Desde aquella década de los años sesenta y setenta la investigación, como es lógico y natural, ha seguido avanzando. Se han realizado y publicado varios trabajos de interés sobre las Comunidades y debemos preguntarnos si la interpretación propuesta entonces sigue válida en la actualidad o si conviene rectificarla, y en qué sentido hay que hacerlo.

HISTORIOGRAFÍA ACTUAL

La bibliografía sobre las Comunidades publicada desde 1970 puede repartirse en dos grupos: el primero sería el de complementos, puntualizaciones o rectificaciones que no invalidan las perspectivas generales de mi interpretación; en el segundo grupo entran, por el contrario, las obras que se apartan de una manera más o menos importante de dicha interpretación. El primer grupo está integrado por investigaciones realizadas sobre determinados personajes o aspectos regionales de las Comunidades. Así se han aducido nuevos datos sobre dos eminentes protagonistas del movimiento comunero.

Al P. Luis Fernández debemos una breve pero excelente semblanza del caudillo de Segovia, Juan Bravo, a partir de documentos de Simancas y de la Chancillería de Valladolid, algunos ya conocidos pero mal o insuficientemente aprovechados, otros completamente inéditos. Vemos así precisarse la figura de Juan Bravo que, por cierto, no era segoviano, sino más probablemente natural de Atienza; se avecindó en Segovia en 1504 con motivo de su primer matrimonio con doña Catalina del Río. Pero el P. Fernández ha descubierto algo mucho más interesante. La madre de Juan Bravo se llamaba doña María de Mendoza; era hija del conde de Monteagudo y sobrina del gran cardenal don Pedro González de Mendoza. Ahora bien, Juan de Padilla, el jefe comunero de Toledo, estuvo casado, como sabemos, con doña María Pacheco, asimismo sobrina del gran cardenal, como hija que era del conde de Tendilla. O sea, que la madre de Juan Bravo y la esposa de Padilla eran primas hermanas, de modo que los dos caudillos estaban emparentados, lo que tal vez explique en parte la amistad y la fidelidad que los unió en los mejores y en los peores momentos de la Comunidad.

El P. Fernández aduce otro detalle curioso. Resulta que el segundo marido de doña María de Mendoza, madre de Juan Bravo, se llamaba Antonio Sarmiento y éste era nada menos que medio hermano de don Luis de Acuña, padre del famoso obispo comunero de Zamora. El obispo Acuña viene a ser, pues, sobrino carnal del segundo marido de la madre de Juan Bravo, por lo que se descubre que también existía alguna suerte de parentesco entre los dos comuneros. Todo ello naturalmente no arroja ninguna luz particular sobre el conflicto de los años 1520-1521 ni ayuda en nada a interpretarlo de una u otra manera, pero permite un acercamiento más próximo al aspecto humano de aquellos tiempos.

El P. Fernández ha dedicado también un artículo al mismo Antonio de Acuña como defensor de los bienes de la mitra zamorana contra el concejo de la ciudad, una vez que se hubo apoderado de ella por la fuerza y contra la oposición del Consejo Real. El famoso obispo de Zamora ha merecido también un estudio biográfico muy serio debido a la pluma de A. M. Guilarte. En este libro aparecen cuidadosamente ordenados y situados los datos de que disponemos antes de la intervención de Acuña en la revolución comunera. Vemos ahora mejor la trayectoria de aquel prelado ambicioso y arrojado, sus dotes de diplomático en Roma, donde residió varios años, su habilidad para servirse de su parentesco con el marqués de Villena y para congraciarse con Felipe el Hermoso, primero, y luego con el Rey Católico, y finalmente con el mismo Carlos V, quien le había nombrado, en enero de 1519, comisario general de la armada contra el turco que se había de embarcar en Cartagena.

La investigación en archivos regionales y locales ha requerido la atención de algunos estudiosos y permitido confirmar o rectificar lo que sabíamos. La inmensa mayoría de los papeles que interesan el período de las Comunidades —sobre todo los libros de actas de los concejos— ha desaparecido, sea porque los que habían intervenido en la revolución prefirieran no dejar constancia de su participación en la misma, sea porque las autoridades hubiesen decidido destruir una propaganda subversiva y contraria a las prerrogativas de la corona. De ahí que la búsqueda de material inédito resulte tan difícil. Merece la pena, sin embargo, seguir investigando en los archivos para averiguar lo que queda de aquella época. Así es como Manuel Fernández Álvarez ha encontrado, publicado y comentado algunos documentos sobre la Zamora comunera de 1520. Lo mismo cabe decir de Hilario Casado Alonso, quien ha dado a conocer las instrucciones dadas por la ciudad de Burgos a sus procuradores en la Santa Junta, fechadas en 22 de agosto, 17 y 27 de septiembre de 1520. El ya citado Luis Fernández ha proyectado su atención sobre un marco geográfico limitado y homogéneo, el de la Tierra de Campos con exclusión de la capital, Palencia; en esta reducida zona Luis Fernández ha realizado un estudio en profundidad del movimiento antiseñorial que tantas y tan estrechas relaciones tuvo con la revuelta comunera. El mismo autor aduce datos interesantísimos sobre la propaganda comunera en aquella zona; se ve cómo en Toledo se imprimieron cantares y coplas a favor de Juan de Padilla y otros escritos subversivos cuyo posible autor bien podría ser el capitán comunero de Madrid, Juan Zapata.

Paso ahora a examinar algunos libros importantes que han salido a la luz desde 1970, y que pretenden ofrecer del movimiento comunero una interpretación parcial o totalmente distinta de la que el profesor Maravall, Gutiérrez Nieto y yo mismo presentamos. Me limitaré solamente a tres títulos que plantean problemas de fondo:

—Ramón Alba: *Acerca de algunas particularidades de las Comunidades...*
—Antonio Márquez: *Los alumbrados.*
—Stephen Haliczer: *Los Comuneros de Castilla.*

El estudio de Ramón Alba no trata en realidad de revisar el tema de las Comunidades. Sólo pretende llamar la atención sobre un fenómeno que pasa muchas veces desapercibido: el ambiente de mesianismo y milenarismo en que vivía Castilla por lo menos desde el siglo XV. Se trata de algo muy conocido en la historia de la España moderna, algo que es una de las raíces de las inquietudes espirituales a finales de la Edad Media y principio de la Moderna, pero también inseparable de la formación del Estado moderno a partir del reinado de los Reyes Católicos. Isabel y Fernando se aprovecharon de aquel ambiente para sus grandes realizaciones: la reorganización del Estado, la conquista de Granada, la Cruzada contra los infieles, la unificación religiosa, la expansión ultramarina... Que este clima de mesianismo interviniera en los conflictos de la época ya se había puesto de relieve en relación con las Germanías de Valencia, en las que se habló repetidamente de la vuelta del Encubierto, identificado con uno de los caudillos del movimiento. Para las Comunidades de Castilla, varios manuscritos de la Biblioteca Nacional, crónicas y relatos contemporáneos describen las esperanzas y los mitos que rodeaban a los jefes de la rebelión, especialmente a Juan de Padilla y al obispo Acuña en sus correrías por la Tierra de Campos. Se veía en ellos a los defensores del pueblo menudo que querían liberar de todas las opresiones; se hablaba de igualar las fortunas; el Comendador Hernán Núñez, catedrático de Alcalá y entusiasta partidario del obispo de Zamora, decía que se quería tornar moro si seguía vigente la enorme desigualdad económica en la sociedad castellana...

Yo hice alguna que otra alusión a estos hechos y dichos, pero sin dedicarles mayor atención. Ramón Alba los relaciona con otros de la misma época y los proyecta en perspectiva más amplia, la idea del milenio igualitario. Escribe muy acertadamente:

Quedan dispersos entre la masa de documentos disponibles suficientes datos para desvelar una componente milenarista en el movimiento comunero [64].

Y concluye, contestando de antemano a una posible objeción:

Generalmente se piensa que los movimientos milenaristas están inspirados por una herejía religiosa cuyo enfrentamiento con la ortodoxia polariza el malestar popular; sin embargo, no siempre ha existido una herejía como base; en numerosas ocasiones la exaltación y el arraigo popular de doctrinas ampliamente aceptadas por la ortodoxia tradicional han sido los factores que desencadenan las revueltas. Uno de estos casos es el de la revolución comunera [65].

Al hablar de la «mística popular que alimenta el movimiento comunero y sobre todo de la especial situación mística de los territorios castellanos», Ramón Alba nos lleva de lleno a la problemática de Antonio Márquez sobre los alumbrados denunciados por la Inquisición de Toledo en el edicto de 1525. Márquez nota que el iluminismo castellano nace y se desarrolla en un marco geográfico y sociológico muy concreto: su centro parece situarse en torno a la Alcarria y a Guadalajara, con ramificaciones hacia tierras de Toledo, por una parte, y hacia Valladolid, por otra. En cambio, Burgos queda fuera de la zona de influencia del iluminismo.

Cualquiera que haya hojeado mi libro sobre las Comunidades notará en seguida las coincidencias: las zonas territoriales y

---

64 Ramón Alba, *Acerca de algunas particularidades...*, Editora Nacional, Madrid, 1975, p. 105.
65 *Ibid.*

los sectores sociales en que se desenvuelven comuneros y alumbrados son los mismos. ¿Habrá que ver alguna relación entre
unos y otros? Márquez no vacila en contestar que sí:

[...] se trata de dos movimientos estrictamente contemporáneos cuyas
áreas geográficas son también idénticas [...]. Los alumbrados no se
encuentran en el Olimpo, sino en Guadalajara, ciudad comunera
entre Toledo y Valladolid [66].

A continuación Márquez añade:

El tema merece ser estudiado; las implicaciones políticas del iluminismo no han sido nunca estudiadas. Cuando se estudien, se verá
que esta reacción entre alumbrados y nobleza castellana, frente a la
política de la Iglesia y el Imperio, no carece de significado histórico en
la España comunera y en la Europa luterana [67].

Cuando se estudien... O sea que Márquez insinúa que debe
de haber alguna relación entre comuneros y alumbrados, pero
no dice cuál y precisamente lo poco que dice no es muy exacto.
Al parecer, él cree que los nobles apoyaron a la vez a comuneros
y alumbrados, cuando la verdad es que la nobleza dio la impresión de proteger a los segundos, pero luchó despiadadamente
contra los primeros. Añadir que comuneros y alumbrados
comulgaban en el rechazo de toda autoridad (*Oposición a la
Iglesia católica e Imperial de Roma. Nullum imperium*) es hacer
un mero juego de palabras. No me convencen frases del mismo
tono como la siguiente: «Retraer a los hombres de la obediencia

---

66 Antonio Márquez, *Los alumbrados*, Taurus, Madrid, 1980, p. 234.

67 *Ibid.*, p. 231, nota.

de la Iglesia en 1525 era retraerlos de la obediencia al Imperio y al Emperador, a la política imperial y al orden establecido.» No me parece acertado ver en el iluminismo de 1525 una especie de desquite espiritual de la derrota política de los comuneros en 1521.

En realidad, la pista que señala Márquez es sugestiva, pero no lleva a ninguna parte. No acabo de ver la relación que puede existir entre comuneros y alumbrados, aparte del hecho de que ambos movimientos, de signo político y social el uno, religioso el otro, se desarrollen por las mismas fechas y en las mismas zonas. Que dos fenómenos históricos sean contemporáneos no significa forzosamente que el uno sea causa del otro ni que ambos tengan causas comunes. La única conclusión que saco de las observaciones de Márquez es que estamos en un momento y en un espacio ricos de posibilidades e inquietudes. Como escribe Antonio Domínguez Ortiz:

Hay un lazo indudable entre estas manifestaciones espirituales (el iluminismo, la mística, el movimiento religioso del siglo XVI) y el área de máxima prosperidad y cultura dibujada por el eje Burgos, Valladolid, Toledo, Sevilla, a lo largo del cual, con una anchura de cien o doscientos kilómetros, tienen lugar casi todos los hechos vitales de aquella centuria[68].

No hay más que decir.

El libro de Stephen Haliczer, cuya primera edición en inglés se publicó en 1981 y se ha traducido al español en 1987, trata de revisar a fondo las interpretaciones más recientes de la revolución comunera a partir de las teorías de la escuela sociológica llamada

---

[68] Antonio Domínguez Ortiz, *El Antiguo Régimen...*, Alianza Editorial, Madrid, 1973, pp. 235-236.

funcionalista. Para dicha escuela, si he entendido bien, la sociedad se presenta como una totalidad que integra varios elementos que cumplen cada uno cierto cometido, cierta función, en el conjunto, de modo que cualquier cambio en uno de estos elementos integradores influye en los demás y en todo el cuerpo social. Conforme a estos criterios, «en una sociedad prerrevolucionaria [...] se encuentran ya en gestación cambios estrucurales profundos de tipo "dialéctico"», es decir, interrelacionados.

Concretamente, según el autor, conviene buscar las causas del movimiento comunero, no en fenómenos coyunturales como el advenimiento de una dinastía extranjera, sino en los cambios estructurales que se producen a finales del siglo XV y comienzos del siglo XVI, cambios que serían los siguientes:

—Crecimiento económico con aparición de nuevas industrias urbanas.

—Creación de una densa red de comunicaciones que ponen en contacto a productores y consumidores.

—Expansión de grupos sociales que procuran sacudir la tutela de la aristocracia feudal.

El desarrollo económico, la urbanización y el nacimiento del Estado constituyen pues los cambios *dialécticos* en potencia en el sentido de que ponen en entredicho el *status* y la posición de elites tan bien instaladas como los grandes terratenientes de la aristocracia y el clero. Todo ello lleva al autor a circunscribir las causas profundas del conflicto comunero al desequilibrio social, político y económico que, a su juicio, caracterizó el reinado de los Reyes Católicos, dado el compromiso a que llegaron los monarcas con la alta nobleza. En la última década del siglo XV y, sobre todo, a partir de la muerte

de la reina Isabel se agudizan los antagonismos entre la aristocracia y la burguesía urbanas y el apoyo dado por la Corona a
la nobleza acaba por provocar tensiones que culminarán con el
estallido comunero.

La tesis de Haliczer viene pues a ser la siguiente: los sectores urbanos en pleno desarrollo, que durante la guerra de sucesión de 1474-1475 habían respaldado a Isabel en su lucha por
el poder, obtienen a principios del reinado de los Reyes
Católicos algunas satisfacciones: los monarcas debilitan el poder
político de los aristócratas en los municipios, pero muy pronto
se ven defraudados en sus esperanzas al darse cuenta de que la
administración real apoya sistemáticamente a los nobles en
todos los conflictos que surgen: conflictos entre señores y vasallos, expansión señorial a costa de los municipios, etc. Los
corregidores se niegan a contrarrestar la expansión ilegal de los
territorios de señorío o se muestran totalmente ineficaces para
impedirla. La Corona interviene abiertamente en los procesos
judiciales para evitar que el Consejo Real o las Chancillerías den
sentencias desfavorables para los grandes magnates. La nobleza,
convencida de la benevolencia y la pasividad de los funcionarios
reales, desencadena una ofensiva encaminada a conseguir la
expansión de sus dominios territoriales a costa de los municipios. Tal sería el trasfondo y la significación de la revolución
comunera: una rebelión del patriciado urbano contra la nobleza y su aliada, la corona.

Haliczer lleva más adelante su interpretación. Considera
que la revolución comunera introdujo cambios importantes en
las relaciones de la corona con las elites urbanas de Castilla y
que Carlos V asumió al menos en parte el programa de los
comuneros. Esta afirmación sorprendente se funda en dos argumentos principales:

1. *Una seria reforma en la administración y la justicia*. El Consejo Real queda reorganizado y saneado; se le asigna la misión de seleccionar cuidadosamente el reclutamiento de corregidores y demás funcionarios y de esta manera se convierte el Consejo «en una institución más aceptada por el público». Las Chancillerías sufren también una profunda reorganización. Se destituye al Presidente de Valladolid, Diego Ramírez de Villaescusa, y se dan instrucciones terminantes para que las Audiencias sentencien con toda imparcialidad en los litigios:

Después de la revolución de los comuneros, las Chancillerías recibieron total jurisdicción, sin impedimentos de ningún tipo, sobre los casos relativos a los conflictos entre la aristocracia y las ciudades; después de 1522 los libros de acuerdos de la Chancillería de Valladolid quedaron libres de las numerosísimas cédulas reales de que se habían servido tanto los Reyes Católicos como Felipe y Carlos para provocar la suspensión, el retraso o el traslado al Consejo de Castilla de los litigios delicados que afectaban a la alta aristocracia. Consecuencia de estas reformas: la creación de una administración pública más instruida, más disciplinada y más eficaz, juntamente con el reforzamiento del sistema judicial, consiguieron que renaciera la confianza popular en el sistema jurídico de la corona[69].

2. *Desarrollo y restablecimiento del papel político y legislativo de las Cortes* que vuelven a ser un órgano eminentemente legislativo. Haliczer dice textualmente:

A lo largo del siglo XVI, las Cortes castellanas mantuvieron e incluso incrementaron su papel legislativo tradicional. Sus reuniones

---

[69] Stephen Haliczer, *Los comuneros*, Universidad de Valladolid, Valladolid, 1987, pp. 271-272.

eran más frecuentes, aproximadamente una cada tres años, tal y como los comuneros habían propuesto que se celebraran y en claro contraste con la política de Isabel y Fernando[70].

Sobre esta tesis creo oportuno presentar algunas observaciones:

a) Discrepo totalmente de las conclusiones finales. Evidentemente, Carlos V aprendió mucho de la revuelta pasada, pero las orientaciones generales siguen siendo las que habían definido los Reyes Católicos. La afirmación de que las Cortes desempeñan un papel fundamental en la legislación y en la vida política del siglo XVI sorprenderá a muchos historiadores.

Por otra parte, la reorganización del Consejo Real y de las Chancillerías no me parece tan profunda como dice Haliczer. Éste se equivoca además al creer que los comuneros mostraban igual oposición al Consejo Real y a la Chancillería. El rechazo al Consejo es total, sin matices: la Santa Junta manda prender *a los del mal Consejo*, les prohíbe usar de sus poderes y reunirse como Consejo. En cambio, la Junta respeta la Chancillería, la protege y la defiende; es Carlos V quien, desde Worms, a 17 de diciembre de 1520, quiere obligar a los oidores a salir de Valladolid, porque considera que su presencia en una ciudad comunera autoriza la rebelión. El César en 1522 destituye al Presidente de la Chancillería, Diego Ramírez de Villaescusa, no por complacer a los antiguos comuneros, sino todo lo contrario: porque juzga que el Presidente se había mostrado demasiado comprensivo con algunas reivindicaciones de los comuneros. Esto queda bien claro en la correspondencia de Martín de

---

[70] *Ibid.*, p. 274.

Salinas, representante del rey de Hungría, Fernando (el hermano de Carlos V), en carta fechada en 7 de septiembre de 1522.
Dice Salinas, refiriéndose a Diego Ramírez de Villaescusa: «No
dicen que se mostró bien en estas cosas pasadas.» Sospecho, por
otra parte, que Diego Ramírez de Villaescusa, sin llegar a ser
comunero, no debía de condenar completamente todos los proyectos de la Junta; años antes, en efecto, en 8 de abril de 1517,
escribía lo siguiente a Cisneros: «Yo por bien habría que al pueblo se diese alguna autoridad en la gobernación porque templa-
se el mando de los regidores.» El ejemplo dado por Haliczer,
uno de los muy raros que cita concretamente, desmiente pues la
tesis que pretende defender.

b)   Tengo la impresión de que Haliczer ha leído mal o
muy deprisa la bibliografía sobre las Comunidades. Ni a
Maravall ni a Gutiérrez Nieto ni a mí se nos ha ocurrido explicar la revolución comunera por la xenofobia y la instalación de
una dinastía extranjera en España. Hemos dicho que la llegada
de Carlos, su elección al Imperio y su marcha para ir a recoger
la corona imperial dieron el estallido a una situación de crisis
que cundía por lo menos desde la muerte de la reina Isabel en
1504 y tal vez como he sugerido, desde 1497, año en que la de-
saparición del príncipe don Juan cortó todas las esperanzas que
los reyes depositaban en él para continuar su labor.

c)   La rebelión comunera tuvo repercusiones importantes
en el campo —Gutiérrez Nieto ha puesto de relieve la trascendencia de los aspectos antiseñoriales—, pero fue principalmente un movimiento urbano. En esto coincidimos con Haliczer.
Ahora bien, Haliczer presenta la contienda como un enfrentamiento entre patriciado urbano y aristocracia, lo cual no me
parece tan cierto. Por parte de los comuneros, hay un rechazo
evidente de la oligarquía urbana, muchas veces ligada a la aris-

tocracia feudal. Lo demuestra hasta la saciedad el desarrollo de los acontecimientos: la Comunidad se sustituye al regimiento tradicional; los regidores se ven muchas veces expulsados; cuando no lo son, ellos y muchos caballeros prefieren huir, de modo que convendría corregir la afirmación de Haliczer: oposición entre sectores urbanos y aristocracia, sí, pero dentro de las ciudades, antagonismos entre grupos sociales, entre la casta cerrada que detenta el poder municipal y lo utiliza en beneficio propio y los sectores excluidos: clases medias, productores, pequeños burgueses y el común, el pueblo llano.

En resumidas cuentas, el libro de Haliczer contiene abundante y seria información sobre la Castilla de los años 1480 en adelante, sobre los conflictos entre señores y concejos particularmente, pero no creo que invalide la interpretación general de las Comunidades que propuse en 1970 que coincide con lo dicho por el profesor Maravall unos años antes y que confirman los datos y reflexiones de Juan Ignacio Gutiérrez Nieto. Esta interpretación puede resumirse así: estamos frente a un movimiento fundamentalmente castellano, más concretamente centro-castellano, y quedan excluidas las tierras burgalesas y las situadas al sur de Sierra Morena. Este movimiento nace y se desarrolla en las ciudades, pero encuentra pronto muy fuertes ecos en el campo, el escenario de una poderosa explosión antiseñorial. El movimiento elabora un programa de reorganización política de signo moderno, caracterizado por la preocupación de limitar el arbitrario de la corona. Su derrota se debe a la alianza de la nobleza y de la monarquía y viene así a reforzar las tendencias absolutistas de la Corona.

EPÍLOGO

LOS COMUNEROS HOY

La historia tiende a desmitificar. Desde hace veinticinco años ha ofrecido de las Comunidades de Castilla una interpretación coherente. El riesgo sería que los avances de la ciencia, como ocurre a menudo, contribuyeran a fosilizar el pasado y a despojarlo de su carga emocional. No ha sido así. Los comuneros siguen siendo de actualidad en la España contemporánea.

Todos los años concentraciones populares se reúnen en Villalar en el mismo sitio en el que perecieron los jefes del movimiento; los que allí acuden se emocionan todavía ante la evocación de los héroes de 1521. Claro que en aquellas conmemoraciones no faltan presupuestos políticos, pero esta consideración es ya muy interesante de por sí: da a entender que los comuneros no yacen sepultados en los libros de historia. Si Villalar atrae es probablemente porque el lugar todavía tiene fuerza emocional; allí se ventiló el destino de España.

En 1974 se estrenó en el Teatro Nacional María Guerrero la obra dramática de Ana Diosdado, *Los comuneros*. Juan de Padilla y el joven Carlos de Gante, futuro emperador, saltan así al escenario con una tensión que difícilmente pueden dar los libros de historia. La función épica se mezcla con ternura y da vida a unos personajes y temas que no son únicamente ni mucho menos objeto de investigación histórica, sino que forman parte del patrimonio cultural de la nación.

Mucho más significativo es el largo romance que, en 1972, Luis López Álvarez dedicó a los comuneros [71]. La información histórica es de primerísima calidad, pero el libro no es por eso poesía erudita. Luis López Álvarez ha sabido captar la esencia vital de un acontecimiento que tanto influyó en la suerte de su patria. Tiene versos y coplas de pasión para evocar la gente menuda, el común, que seguía a sus héroes. A un rey cuerdo, pero que parecía indiferente a los problemas de su pueblo, los comuneros opusieron una reina local y hacía falta, en efecto, unos toques de locura para abrazar el partido de los comunes:

> *se aferran a reina loca*
> *por no asirse ya a el rey cuerdo,*
> *loca estuviera la reina*
> *para juntarse a su pueblo.*

Contra los privilegiados y los tiranos los comuneros exigían igualdad y justicia; pedían para el pueblo lo que le pertenecía:

> *Comunes el sol y el viento,*
> *común ha de ser la tierra,*
> *que vuelva común al pueblo*
> *lo que del pueblo saliera.*

---

[71] *Los Comuneros*, Edicusa, Madrid, 1972. (Edición revisada: Diputación Provincial de Valladolid, 1985.) Los textos fueron reproducidos por el grupo Nuevo Mester de Juglaría, en *Los comuneros*.

Clamaban por la libertad, que es lucha que no debe cesar:

> *La lucha larga ha de ser*
> *por la libertad del reino,*
> *que no fuera libertad*
> *lo que los reyes le dieron,*
> *que libertad concedida*
> *no es libertad, sino fuero.*

Éstos son algunos de los motivos que corren a lo largo del poema. Como se ve, estamos muy lejos de la fría objetividad académica, pero íntimamente unidos a los sentimientos, pasiones, esperanzas de los comuneros de 1520. No se trata de erigir un monumento póstumo para héroes de otro tiempo, sino de mantener viva el alma de un episodio capital, de una lucha que tenía el sentido de una guerra de liberación:

> *Desde entonces, ya Castilla*
> *no se ha vuelto a levantar,*
> *en manos de rey bastardo,*
> *o de regente falaz,*
> *siempre añorando una junta,*
> *o esperando a un capitán.*
> *Quién sabe si las cigüeñas...*

BIBLIOGRAFÍA

- Sobre el legado de los Reyes Católicos y Castilla a principios del siglo XVI pueden consultarse las siguientes obras:

DOMÍNGUEZ ORTIZ, Antonio, *El Antiguo Régimen: Los Reyes Católicos y los Austrias*, Alianza Editorial, Madrid, 1973; última edición revisada de 1999.

LADERO QUESADA, Miguel Ángel, *Historia de América Latina. España en 1492*, tomo I, Editorial Hernando, Madrid, 1978.

PÉREZ, Joseph, *Isabel y Fernando, los Reyes Católicos*, Nerea, Madrid, 1997.

SUÁREZ FERNÁNDEZ, Luis, *Los Trastámara y los Reyes Católicos*, Gredos, Madrid, 1986.

- Sobre el marco geográfico de las Comunidades:

AZCONA, Tarsicio de, *San Sebastián y la provincia de Guipúzcoa durante la guerra de las Comunidades (1520-1521), estudio y documentos*, San Sebastián, 1974.

CASADO ALONSO, Hilario, *Nuevos documentos sobre la Guerra de las Comunidades en Burgos* (separata).

FERNÁNDEZ MARTÍN, Luis, *El movimiento comunero en los pue-blos de Tierra de Campos,* Centro de Estudios e Investigación San Isidoro, León, 1979.

— *La contienda civil de Guipúzcoa y las Comunidades castellanas (1520-1521),* San Sebastián, 1981.

OWENS, John B., *Rebelión, monarquía y oligarquía murciana en la época de Carlos V,* Universidad de Murcia, Murcia, 1980.

• Sobre el significado histórico de los comuneros:

ALBA, Ramón, *Acerca de algunas particularidades de las Comunidades de Castilla tal vez relacionadas con el supuesto acaecer terreno del Milenio igualitario,* Editora Nacional, Madrid, 1975 (Biblioteca de visionarios, heterodoxos y marginados).

AZAÑA, Manuel, *Plumas y palabras,* Compañía Iberoamericana de Publicaciones, Madrid-Barcelona-Buenos Aires, 1930.

CANAVAGGIO, Jean, «W. Robertson y las Comunidades de Castilla: un precursor de la interpretación liberal», en *Homenaje a J. A. Maravall,* pp. 359-369.

CASADO ALONSO, Hilario, *Nuevos documentos sobre la Guerra de las Comunidades en Burgos* (separata).

DANVILA, Manuel, *Historia crítica y documentada de las Comunidades de Castilla,* 6 vols., Memorial Histórico Español, ts. XXXV-XL, Madrid, 1897-1900.

DOMÍNGUEZ ORTIZ, Antonio, *El Antiguo Régimen: los Reyes Católicos y los Austrias,* Alianza Editorial, Madrid, 1973, pp. 235-236.

FERNÁNDEZ, Luis, *Juan Bravo,* Publicaciones de la Caja de Ahorros y Monte de Piedad de Segovia, Segovia, 1981.

— «El obispo comunero don Antonio de Acuña», *Hispania sacra* XXXVI, 1984, pp. 485-508.

FERNÁNDEZ ÁLVAREZ, Manuel, «La Zamora comunera en 1520», *Studia histórica Historia Moderna*, vol. 1, núm. 3, 1983, pp. 7-24.

FERRER DEL RÍO, Antonio, *Decadencia de España. Primera Parte, Historia del levantamiento de las Comunidades de Castilla. 1520-1521*, Madrid, 1850.

GUILARTE, M., *El obispo Acuña. Historia de un comunero*, Miñón, Valladolid, 1979.

HALICZER, Stephen, *Los comuneros de Castilla. La forja de una revolución 1475-1521*, Universidad de Valladolid, Valladolid, 1987 (ed. ingl.: *The Comuneros of Castille. The forging of a revolution 1475-1521*, University of Wisconsin Press, 1981).

MARAÑÓN, Gregorio, *Los castillos en las Comunidades de Castilla*, Madrid, 1957.

— *Los Tres Vélez. Una historia de todos los tiempos*, Espasa-Calpe, Madrid, 1960.

MÁRQUEZ, Antonio, *Los alumbrados*, Taurus, Madrid, 1980.

RODRÍGUEZ VILLA, A., «El emperador Carlos V y su corte», *Boletín de la Real Academia de la Historia*, XLIII, 1903.

ÍNDICE ONOMÁSTICO